TRADUCTION
dirigée par
Donald Smith

Chroniques d'Avonlea II

DU MÊME AUTEUR

Les romans et chroniques de la série Anne (10)

1) *Anne... La Maison aux pignons verts*
2) *Anne d'Avonlea*
3) *Anne quitte son île*
4) *Anne au Domaine des Peupliers*
5) *Anne dans sa maison de rêve*
6) *Anne d'Ingleside*
7) *La Vallée Arc-en-ciel*
8) *Rilla d'Ingleside* (à paraître)
9) *Chroniques d'Avonlea I*
10) *Chroniques d'Avonlea II*

Les nouvelles (4)

1) *Sur le rivage*

La suite: romans (5)

1) *Le Monde merveilleux de Marigold*

Chroniques d'Avonlea
II

LUCY MAUD MONTGOMERY

nouvelles

**TRADUIT DE L'ANGLAIS PAR
HÉLÈNE RIOUX**

ÉDITIONS QUÉBEC/AMÉRIQUE

425, RUE SAINT-JEAN-BAPTISTE, MONTRÉAL, QUÉBEC H2Y 2Z7 (514) 393-1450

Nous tenons à remercier le Conseil des Arts du Canada pour son aide à la traduction.

Données de catalogage avant publication (Canada)

Montgomery, L. M. (Lucy Maud) 1874-1942

[Further Chronicles of Avonlea. Français]

Chroniques d'Avonlea II

(Collection Littérature d'Amérique. Traduction)
Traduction de: Further chronicles of Avonlea.

ISBN 2-89037-552-8

I. Titre. II. Titre: Further chronicles of Avonlea. Français. III. Collection.

PS8526.055F8714 1991   jC813'.52   C91-096784-9
PS9526.055F8714 1991
PR9199.3.M6F8714 1991

Titre original:
Further Chronicles of Avonlea
Première édition au Canada:
L. C. Page and Co., 1920
Traduction © Ruth Macdonald
and David Macdonald, 1991.

Édition française au Canada:
Les Édition Québec/Amérique inc.

Dépôt légal: 4e trimestre 1991
Bibliothèque nationale du Québec
Bibliothèque nationale du Canada

Montage: Andréa Joseph

Table des matières

1

Le chat persan de tante Cynthia

Chaque fois qu'on parle de cet animal, Max le bénit, et je ne nierai pas que les choses ont fini par bien tourner. Mais quand je songe à l'angoisse qu'Ismay et moi avons subie à cause de cet abominable chat, ce n'est pas ma bénédiction que j'ai envie de lui donner.

Je n'ai jamais été très portée sur les chats; j'admets quand même qu'ils soient sympathiques quand ils restent à leur place et je peux arriver à m'entendre avec une vieille matrone de chatte qui s'occupe de ses affaires et se rend utile à la société. Quant à Ismay, elle a et a toujours eu horreur des chats, une chose tout simplement incompréhensible pour tante Cynthia qui les adore. Cette dernière était fermement convaincue qu'au fond de nos cœurs, Ismay et moi aimions les chats et si nous refusions de l'admettre et persistions dans nos dénégations, c'était à cause de notre esprit tordu.

De tous les chats, j'exécrais particulièrement ce persan blanc de tante Cynthia. Et, en réalité, comme nous l'avions toujours soupçonné, ma tante elle-même éprouvait, à l'égard de cette créature, davantage de fierté que d'affection. Elle aurait eu dix fois plus de plaisir avec un bon gros matou qu'elle en avait avec cette beauté dolente. Mais tante Cynthia était si fière de posséder un chat persan ayant un pedigree enregistré et une valeur marchande de cent dollars qu'elle s'illusionnait à considérer cette bête comme la prunelle de ses yeux.

Il lui avait été offert alors qu'il n'était encore qu'un chaton par un neveu missionnaire qu'il l'avait rapporté de Perse; et pendant les trois années qui suivirent, la maisonnée de tante Cynthia ne tourna plus qu'autour de ce chat. Il était blanc neige avec le bout de la queue gris bleu; il avait les yeux bleus, était sourd et très délicat. Tante Cynthia avait toujours peur qu'il ne prenne froid et meure. C'était ce que nous souhaitions, Ismay et moi, tellement nous étions fatiguées d'entendre parler de lui et de ses caprices. Nous n'en disions cependant rien à tante Cynthia. Elle ne nous aurait sans doute plus jamais adressé la parole et il n'aurait pas été sage de l'offenser. Lorsqu'on a une tante plutôt accommodante et dotée d'un confortable compte en banque, il vaut mieux demeurer autant que possible en bons termes avec elle. De plus, nous aimions vraiment beaucoup tante Cynthia... parfois. Elle faisait partie de ces gens exaspérants qui ne cessent de vous trouver des défauts jusqu'à ce que vous vous sentiez justifié de les haïr, pour vous démontrer ensuite tant de bonté que vous vous sentez obligé de les aimer.

Nous l'écoutions donc docilement lorsqu'elle discourait sur Fatima — c'était le nom du chat — et, si c'était vilain de notre part de souhaiter la mort de ce dernier, nous en fûmes bien punies par la suite.

Un jour de novembre, tante Cynthia mit les voiles vers Spencervale. En vérité, elle arriva en calèche tirée par un cheval gris, mais tante Cynthia donnait toujours l'impression d'être un navire entièrement gréé voguant toutes voiles dehors, poussé par un vent favorable. C'était notre jour de malchance. Tout allait mal. Ismay avait renversé de la graisse sur son manteau de velours, l'ourlet de la nouvelle blouse que je cousais était désespérément de travers, le poêle de la cuisine fumait et le pain était rance. De plus, Huldah Jane Keyson, notre vieille et fiable gouvernante familiale qui était aussi cuisinière et «intendante» générale, avait ce qu'elle appelait de la «néralgie» dans l'épaule; et bien que Huldah Jane soit la meilleure vieille personne qui puisse exister, quand elle souffre de «néralgie», les personnes présentes n'ont plus qu'un désir: sortir de la maison, et si c'est impossible, elles se sentent à peu près aussi confortables que saint Laurent sur son gril.

Pour couronner le tout, tante Cynthia avait une faveur à nous demander.

«Mon Dieu, s'exclama tante Cynthia en reniflant, qu'est-ce que ça sent? La fumée? Vous devez très mal entretenir votre fourneau, les filles. Le mien ne fume jamais. Mais à quoi peut-on s'attendre quand deux jeunes filles essaient de tenir maison toutes seules sans homme aux alentours.»

«Nous nous en tirons très bien sans homme», répliquai-je avec hauteur. Il y avait quatre jours que Max ne s'était pas présenté et, bien que n'ayant pas particulièrement envie de le voir, je ne pouvais m'empêcher de me demander la raison de cette absence. «Les hommes sont des nuisances publiques.»

«Je présume que tu aimerais nous faire croire que c'est là ce que tu penses, remarqua tante Cynthia, désapprobatrice. Mais aucune femme ne le pense vraiment, tu sais. Et, si tu veux mon opinion, ce n'est pas l'avis de cette jolie Anne Shirley, en visite chez Ella Kimball. Je l'ai vue qui se promenait avec le Dr Irving après-midi, et ils avaient l'air très contents d'être ensemble. Si tu continues cette valse-hésitation, Sue, Max va te glisser entre les doigts.»

C'était vraiment très diplomate de me dire ça à moi qui avais refusé Max Irving si souvent qu'il m'était impossible de savoir combien de fois. J'étais furieuse, et c'est pourquoi j'adressai mon sourire le plus mielleux à mon insupportable tante.

«Comme vous êtes drôle, ma tante, dis-je avec douceur. Vous parlez comme si Max me plaisait.»

«Et c'est la vérité», répondit tante Cynthia.

«Alors, pourquoi l'aurais-je refusé tant de fois?» poursuivis-je en souriant. Tante Cynthia était parfaitement au courant. Max le lui disait toujours.

«Dieu seul le sait, répondit tante Cynthia, mais tu l'enverras peut-être promener une fois de trop et il te prendra au mot. Cette Anne Shirley a quelque chose de vraiment fascinant.»

«C'est exact, approuvai-je. Elle a les plus jolis yeux du monde. Elle ferait une épouse parfaite pour Max, et j'espère qu'il l'épousera.»

«Hum, fit tante Cynthia. Eh bien, je ne t'inciterai pas à proférer d'autres mensonges. Et je ne suis pas venue ici aujourd'hui avec tout ce vent pour essayer de te faire entendre raison à propos de Max. Je m'en vais passer deux mois à Halifax et je voudrais que vous vous occupiez de Fatima pendant mon absence.»

«Fatima!» m'exclamai-je.

«Oui. Je n'ose pas la confier aux domestiques. Veillez à bien réchauffer son lait et ne la laissez, sous aucun prétexte, sortir de la maison.»

Je regardai Ismay et celle-ci me rendit mon regard. Nous savions qu'il n'y avait pas d'issue possible. Refuser aurait mortellement offensé tante Cynthia. De plus, si j'avais manifesté quelque mauvaise grâce, tante Cynthia aurait certainement mis cela sur le compte de ma mauvaise humeur à propos de ce qu'elle avait dit sur Max et j'en aurais entendu parler pendant des années. Je me risquai pourtant à demander: «Et s'il lui arrive quelque chose pendant votre absence?»

«C'est justement pour éviter cela que je vous la confie, répondit-elle. Vous devez tout simplement voir à ce qu'il ne lui arrive rien. Cela vous fera du bien d'avoir une petite responsabilité. Et vous aurez la chance de découvrir que Fatima est une créature adorable. Eh bien, tout est réglé. Je vous enverrai Fatima demain.»

«Tu t'occuperas toi-même de cette horrible bête, déclara Ismay une fois la porte refermée sur tante Cynthia. Je ne veux même pas la toucher avec un bout de bois. Tu n'avais pas à accepter de la prendre.»

«Ai-je dit que nous acceptions? demandai-je, en colère. Pour tante Cynthia, notre consentement allait de soi. Et tu sais aussi bien que moi que nous ne pouvions refuser. Alors, à quoi sert-il de rouspéter?»

«Si quelque chose lui arrive, tante Cynthia nous en tiendra responsables», ajouta sombrement Ismay.

«Penses-tu qu'Anne Shirley soit vraiment fiancée à Gilbert Blythe?» demandai-je avec curiosité.

«C'est ce qu'on dit, répondit distraitement Ismay. Prend-elle autre chose que du lait? Pouvons-nous lui donner des souris?»

«Oh! J'imagine que oui. Mais crois-tu que Max soit réellement amoureux d'elle?»

«Sans doute. Quel soulagement ce sera pour toi.»

«Oh! évidemment, dis-je, glaciale. Anne Shirley ou Anne N'importe qui peut très bien avoir Max s'il lui plaît. Ce n'est certainement pas mon cas. Ismay Meade, si ce poêle n'arrête pas de fumer, je vais devenir folle. Quelle journée épouvantable! Je déteste cette créature!»

«Oh! Tu ne devrais pas parler comme ça, tu ne la connais même pas, protesta Ismay. Tout le monde dit qu'Anne Shirley est charmante...»

«Je parlais de Fatima», criai-je, enragée.

«Oh!» dit Ismay.

Ismay est parfois idiote. Je considérai que la façon dont elle s'était exclamée «Oh!» était inexcusablement stupide.

Fatima arriva le lendemain. Max l'apporta dans un panier couvert doublé d'un coussin de satin écarlate. Max aime les chats et tante Cynthia. Il nous expliqua comment traiter Fatima, et quand Ismay fut sortie de la pièce — elle s'en allait toujours lorsqu'elle savait que je tenais particulièrement à ce qu'elle reste — il me redemanda ma main. Je refusai, bien sûr, comme d'habitude, mais j'étais plutôt contente. Il y avait deux ans que Max me demandait en mariage tous les deux mois environ. Parfois, comme dans ce cas-ci, il laissait passer trois mois, et alors je me demandais toujours pourquoi. J'en conclus qu'il ne pouvait être vraiment intéressé par Anne Shirley et me sentis soulagée. Si je ne voulais pas épouser Max, c'était néanmoins agréable et

commode de l'avoir sous la main et il nous aurait terriblement manqué si une autre fille lui avait mis le grappin
dessus. Il était si serviable et toujours disposé à faire n'importe quoi pour nous: clouer un bardeau sur le toit, nous
conduire en ville, descendre les tapis, bref, il était toujours là
pour régler nos petits problèmes.

Je rayonnais donc en lui répondant que je ne voulais pas
devenir sa femme. Max se mit à compter sur ses doigts.
Arrivé à huit, il hocha la tête et recommença.

«De quoi s'agit-il?» demandai-je.

«J'essaie de compter combien de fois je t'ai demandée en
mariage, répondit-il. Mais je n'arrive pas à me rappeler si je
l'ai fait le jour où nous avons bêché le jardin. Si oui, cela
nous mène à...»

«Non, pas cette fois-là», interrompis-je.

«Eh bien, cela fait un total de onze, reprit Max d'un air
songeur. Plutôt près de la limite, non? Ma fierté mâle ne me
permettra pas de demander la main de la même fille plus de
douze fois. C'est pourquoi la prochaine fois sera la dernière,
Sue chérie.»

«Oh!» fis-je, un peu interdite. J'oubliai de lui tenir
rigueur de m'avoir appelée chérie. Je me demandai si les
choses n'allaient pas devenir plutôt monotones quand Max
renoncerait à me demander en mariage. C'était là mon seul
sujet d'émotion. Mais ce serait évidemment mieux ainsi et il
ne pouvait quand même pas continuer comme ça toute sa
vie. C'est pourquoi, comme pour clore gracieusement le
sujet, je lui demandai à quoi ressemblait Anne Shirley.

«C'est une fille très mignonne, répondit Max. Tu sais que
j'ai toujours admiré ces filles aux yeux gris avec une magnifique chevelure titienne.»

Moi, j'ai les cheveux sombres et les yeux marron. À ce
moment précis, je détestai Max. Je me levai et dis que j'allais
chercher du lait pour Fatima. Je trouvai Ismay qui fulminait
dans la cuisine. Elle était montée au grenier et une souris
avait détalé sous son pied. Les souris ont le don de mettre les
nerfs d'Ismay en boule.

«Nous avons rudement besoin d'un chat, gronda-t-elle, mais pas d'une chose inutile et douillette comme Fatima. Ce grenier grouille littéralement de souris. Je n'y remettrai plus les pieds.»

Fatima s'avéra moins importune que nous l'avions craint. Huldah Jane l'aimait bien, et Ismay, bien qu'elle eût déclaré qu'elle ne l'approcherait jamais, veillait scrupuleusement sur son bien-être. Elle prit même l'habitude de se lever au milieu de la nuit pour aller vérifier si Fatima était bien au chaud. Max venait tous les jours et nous donnait de bons conseils.

Puis un jour, environ trois semaines après le départ de tante Cynthia, Fatima disparut comme par enchantement. Nous l'avions laissée un après-midi, endormie dans son panier près du feu, sous la surveillance de Huldah Jane, pendant que nous allions faire une visite. À notre retour, Fatima n'était plus là.

Huldah Jane pleura et eut l'air d'avoir perdu l'esprit. Elle jura n'avoir pas quitté Fatima des yeux, sauf pendant les trois minutes où elle était montée au grenier chercher de la sarriette d'été. À son retour, elle avait trouvé la porte ouverte par un coup de vent, et Fatima s'était volatilisée.

Ismay et moi éprouvâmes un véritable sentiment de panique. Nous explorâmes, comme si nous étions devenues folles, le jardin et les dépendances, puis les bois derrière la maison, en appelant Fatima, mais ce fut en vain. Puis Ismay s'assit sur les marches et fondit en larmes.

«Elle est sortie et elle va attraper son coup de mort. Jamais tante Cynthia ne nous le pardonnera.»

«Je vais chercher Max», déclarai-je. Et c'est ce que je fis, traversant le bois d'épinettes et le champ aussi vite que mes pieds purent me porter, remerciant le ciel qu'il existât un Max vers qui aller quand on était en de si mauvais draps.

Max me raccompagna et nous recommençâmes la recherche, sans résultat. Les jours passèrent, et Fatima ne revint pas. Sans Max, je serais certainement devenue folle. Il valut son pesant d'or pendant l'affreuse semaine qui suivit. Nous n'osions pas faire publier d'annonce, de peur que tante

Cynthia ne tombe dessus, mais nous interrogeâmes tout le monde à des milles à la ronde à propos d'un persan blanc avec une tache bleue sur la queue, et offrîmes même une récompense à celui qui le retrouverait; mais personne ne l'avait vue. Des gens ne cessèrent pourtant de se présenter chez nous, nuit et jour, avec toutes sortes de chats dans des paniers, voulant savoir si c'était celui que nous avions perdu.

«Nous ne reverrons plus jamais Fatima», dis-je, désespérée, à Max et à Ismay, un après-midi. Je venais de renvoyer une vieille dame avec un gros matou jaune qui, insistait-elle, nous appartenait, «parce que y est arrivé chez nous, m'dame, en miaulant comme le diable, m'dame, et y appartient à personne sur la route de Grafton, m'dame.»

«J'en ai bien peur, dit Max. Elle doit être morte depuis le temps qu'elle est partie.»

«Tante Cynthia ne nous le pardonnera jamais, répéta Ismay, consternée. J'ai eu le pressentiment que nous courrions vers des ennuis dès que ce chat est entré dans la maison.»

C'était la première fois que nous entendions parler de ce pressentiment, mais Ismay a coutume d'en avoir... une fois que les choses se sont produites.

«Qu'est-ce que nous allons faire? demandai-je, anéantie. Max, tu ne peux pas trouver un moyen de nous sortir de ce pétrin?»

«Mettez une annonce dans les journaux de Charlotte-town pour acheter un persan blanc, suggéra-t-il. Peut-être que quelqu'un en a un à vendre. Dans ce cas, vous devrez l'acheter et le faire passer pour Fatima à votre tante. Comme elle est très myope, ce sera tout à fait possible.»

«Mais Fatima a une tache bleue sur la queue», objectai-je.

«Précisez-le dans votre annonce», dit Max.

«Ça va nous coûter les yeux de la tête, remarqua mélancoliquement Ismay. Fatima était évaluée à cent dollars.»

«Il faudra que nous prenions l'argent que nous avions économisé pour nos nouvelles fourrures, ajoutai-je tristement. C'est la seule façon de nous en sortir. Cela nous coûtera beaucoup plus cher si nous perdons l'affection de tante Cynthia. Elle est bien capable de croire que la perte de Fatima était préméditée.»

Nous publiâmes donc une annonce. Max se rendit en ville et fit paraître l'avis dans le plus important quotidien. Nous demandions à quiconque possédant un persan blanc, avec le bout de la queue bleu, dont il voulait se défaire, de communiquer avec M. I., aux soins de l'*Enterprise*.

Nous n'avions, en vérité, pas beaucoup d'espoir qu'il en résulte quoi que ce soit; nous fûmes donc étonnées et ravies de la lettre que Max nous rapporta de la ville quatre jours plus tard. Il s'agissait d'une longue missive tapée à la machine provenant d'Halifax disant que le signataire avait à vendre un persan blanc répondant à notre description. Son prix était de cent dix dollars et, si M. I. voulait aller examiner l'animal à Halifax, il devait se rendre au 110, rue Hollis et spécifier qu'il venait pour «le persan».

«Tempérez votre joie, mes amis, dit sombrement Ismay. Le chat ne conviendra peut-être pas. La tache bleue sera peut-être trop grosse, ou trop petite, ou ne sera pas placée au bon endroit. Je refuse de croire que quoi que ce soit de bon puisse résulter de cette déplorable affaire.»

À ce moment précis, on frappa à la porte et je me hâtai d'aller ouvrir. C'était le messager du maître de poste apportant un télégramme. Je l'ouvris fébrilement, y jetai un coup d'œil et me précipitai dans la pièce.

«Que se passe-t-il, à présent?» s'écria Ismay, voyant mon expression.

Je lui tendis le télégramme. C'était de tante Cynthia. Elle nous l'avait envoyé pour nous dire d'expédier immédiatement Fatima à Halifax par express. Pour la première fois, Max n'eut aucune suggestion à faire. C'est moi qui parlai la première.

«Max, dis-je d'un ton implorant, tu vas nous aider, n'est-ce pas? Ni Ismay ni moi ne pouvons nous précipiter immédiatement à Halifax. Il faut que tu y ailles demain. Va directement au 110, rue Hollis et demande «le persan». Si le chat ressemble suffisamment à Fatima, achète-le et apporte-le à tante Cynthia. Sinon... mais il faut qu'il lui ressemble! Tu vas y aller, n'est-ce pas?»

«Cela dépend», répondit Max.

Je le regardai fixement. Cette hésitation n'était pas dans les habitudes de Max.

«Tu me demandes de faire une corvée désagréable, reprit-il froidement. Comment puis-je être certain de tromper tante Cynthia, même si elle est myope? Acheter un chat sur un coup de tête est très risqué. Et si elle découvre le pot aux roses, je vais me retrouver dans un joli pétrin.»

«Oh! Max!» dis-je, au bord des larmes.

«Évidemment, poursuivit Max en regardant rêveusement le feu, si je faisais vraiment partie de la famille, ou si j'avais un espoir raisonnable d'y arriver, cela me dérangerait moins. Cela irait alors de soi. Mais dans la situation actuelle...»

Ismay se leva et sortit de la pièce.

«Oh! Max, je t'en prie», dis-je.

«Vas-tu m'épouser? demanda Max, l'air sévère. Si tu acceptes, j'irai à Halifax et poursuivrai le lion dans sa tanière sans broncher. Si nécessaire, j'apporterai à tante Cynthia un chat de gouttière noir et lui jurerai qu'il s'agit de Fatima. Je te sortirai de ce bourbier, même si je dois prouver que tu n'as jamais eu Fatima, ou qu'elle est actuellement en sécurité chez toi, ou même que cet animal n'a jamais existé. Je ferai n'importe quoi, dirai n'importe quoi, mais il faut que ce soit pour ma future épouse.»

«Rien d'autre ne pourra te satisfaire?» demandai-je, désespérée.

«Rien.»

Je réfléchis. Bien sûr, Max se conduisait de façon abominable... mais... mais... c'était un garçon vraiment charmant... et c'était la douzième fois... et il y avait Anne Shirley! Dans le secret de mon âme, je savais que la vie serait une catastrophe sans Max dans les parages. En outre, je l'aurais épousé depuis longtemps si tante Cynthia ne nous avait pas si manifestement jetés dans les bras l'un de l'autre chaque fois qu'il venait à Spencervale.

«Très bien», cédai-je, de mauvaise grâce.

Max partit pour Halifax le lendemain matin. Un jour plus tard, nous reçûmes un télégramme nous assurant que tout allait bien. Le surlendemain, dans la soirée, il était de retour à Spencervale. Ismay et moi le fîmes asseoir et le dévisageâmes avec impatience.

Max éclata de rire et rit jusqu'à en perdre le souffle.

«Je suis heureuse de constater à quel point c'est amusant, dit sévèrement Ismay. Si Sue et moi pouvions connaître la plaisanterie, cela le serait peut-être davantage.»

«Chères petites filles, montrez-vous patientes avec moi, implora Max. Si vous saviez ce que cela m'a coûté de garder un visage imperturbable à Halifax, vous me pardonneriez de ne pas pouvoir me retenir ici.»

«Nous te pardonnons, mais pour l'amour de Dieu, raconte-nous», criai-je.

«Eh bien, dès mon arrivée à Halifax, je me suis rendu en vitesse au 110, rue Hollis et, voyons, ne m'aviez-vous pas dit que l'adresse de votre tante était le 10, rue Pleasant?»

«C'est exact.»

«Non, c'est faux. La prochaine fois que vous recevrez un télégramme, vous vérifierez d'où il vient. Votre tante est partie il y a une semaine visiter une autre amie qui habite au 110, rue Hollis.»

«Max!»

«C'est la vérité. J'ai sonné à la porte et j'allais expliquer à la bonne que je venais pour «le persan» quand votre tante Cynthia en personne a surgi dans le corridor et s'est précipitée sur moi. "Max, m'a-t-elle dit, avez-vous apporté Fatima?" "Non", ai-je répondu en essayant d'ajuster mes esprits à ce nouveau développement. "Non, je... je suis simplement venu à Halifax pour affaires." "Juste ciel, s'est écriée tante Cynthia, très en colère. Je me demande ce que font ces filles. Je leur ai télégraphié d'expédier immédiatement Fatima. Elle n'est pas encore arrivée, et j'attends, d'une minute à l'autre, la visite d'une personne qui veut l'acheter." "Oh!" ai-je murmuré, de plus en plus perplexe. "Oui, a poursuivi votre tante, une personne désirant un chat persan a fait paraître une annonce dans l'*Enterprise* de Charlottetown, et j'ai répondu. Fatima est une lourde charge, vous savez, elle est si fragile, et si elle meurt, elle sera une perte nette — j'ignore si votre tante faisait un jeu de mots, les filles — alors, même si j'y suis très attachée, j'ai décidé de m'en séparer." C'est alors que j'ai eu une deuxième inspiration, et j'ai rapidement dé-cidé qu'un judicieux dosage de vérité était ce qu'il fallait. "Ma foi, quelle curieuse coïncidence, me suis-je exclamé. Mon Dieu, Mlle Ridley, c'est moi qui ai mis l'annonce de-mandant un chat persan... au nom de Sue. Elle et Ismay désirent un chat persan comme Fatima." Vous auriez dû voir comme votre tante rayonnait. Elle a dit qu'elle savait qu'en réalité, vous aimiez les chats, même si vous n'aviez jamais voulu l'admettre. Nous avons aussitôt conclu le marché. Je lui ai remis vos cent dix dollars, elle a pris l'argent sans broncher, et vous voilà les heureuses propriétaires de Fatima. Bonne chance!»

«La vieille mesquine!» persifla Ismay. Évidemment, elle parlait de tante Cynthia et, en songeant à nos fourrures râpées, j'étais plutôt d'accord avec elle.

«Mais il n'y a pas de Fatima, dis-je d'un air perplexe. Comment expliquerons-nous cela à tante Cynthia quand elle reviendra?»

«Eh bien, votre tante ne revient que dans un mois. À son retour, vous lui direz que vous avez perdu le chat, mais vous n'êtes pas obligées de lui dire quand c'est arrivé. Pour le reste, comme Fatima est désormais votre propriété, votre tante ne pourra pas se plaindre. Mais elle aura une plus piètre opinion que jamais sur votre aptitude à vous occuper toutes seules d'une maison.»

Quand Max partit, j'allai à la fenêtre pour le regarder s'éloigner dans l'allée. C'était vraiment un bel homme, et j'étais fière de lui. À la grille, il se tourna pour m'envoyer la main et, ce faisant, il leva les yeux. Même à cette distance, je distinguai son expression ébahie. Puis il revint comme une flèche.

«Ismay, la maison est en feu!» hurlai-je en courant vers la porte.

«Sue, cria Max, je viens de voir Fatima, ou son fantôme, à la fenêtre du grenier.»

«Impossible!» m'exclamai-je. Mais Ismay avait déjà gravi la moitié des marches et nous la suivîmes. Nous nous ruâmes au grenier. Et Fatima y trônait, soyeuse et satisfaite, prenant le soleil dans la fenêtre.

Max rit à s'en décrocher les mâchoires.

«Elle ne peut avoir été là tout ce temps, protestai-je, au bord des larmes. Nous l'aurions entendue miauler.»

«Mais vous ne l'avez pas entendue», dit Max.

«Elle serait morte de froid», ajouta Ismay.

«Mais elle n'est pas morte», dit Max.

«Ou de faim», m'écriai-je.

«L'endroit grouille de souris, dit Max. Non, les filles, il ne fait aucun doute que cette chatte a passé les deux semaines ici. Elle a dû suivre Huldah Jane sans être vue, ce jour-là. C'est étonnant que vous ne l'ayez pas entendue miauler, mais elle n'a peut-être pas fait de bruit et, de plus, vous dormez au rez-de-chaussée. Quand on pense qu'il ne vous est jamais venu à l'esprit de regarder ici!»

«Cela nous a coûté plus de cent dollars», commenta Ismay en jetant un regard malveillant à la soyeuse Fatima.

«Cela m'a coûté bien davantage», dis-je en me tournant vers l'escalier.

Max me retint un instant, pendant qu'Ismay et Fatima descendaient.

«Tu penses que ça t'a coûté trop cher, Sue?» chuchota-t-il.

Je le regardai de profil. Il était vraiment adorable, et il rayonnait presque de gentillesse.

«N... non, répondis-je, mais quand nous serons mariés, c'est toi qui t'occuperas de Fatima. Moi, je refuse.»

«Chère Fatima», conclut Max avec reconnaissance.

2

La matérialisation de Cecil

Le fait d'être célibataire ne m'avait jamais préoccupée le moins du monde, même si, à Avonlea, tout le monde prend les vieilles filles en pitié; mais ce qui me préoccupait, et je l'avoue franchement, c'était de n'avoir jamais eu la possibilité de me marier. Même Nancy, ma vieille nounou et servante, le savait et avait, à cause de cela, pitié de moi. Bien qu'elle eût elle aussi coiffé Sainte-Catherine depuis longtemps, Nancy avait déjà eu deux propositions. Elle les avait refusées toutes les deux, la première fois, parce qu'il s'agissait d'un veuf, père de sept enfants, et la seconde, parce que le prétendant était un fainéant et un bon à rien; mais si quelqu'un taquinait Nancy sur sa condition de célibataire, elle pouvait faire triomphalement valoir ses deux soupirants comme preuve qu'«elle aurait pu, si elle l'avait voulu». Si je n'avais pas passé toute ma vie à Avonlea, j'aurais pu avoir le bénéfice du doute; mais tout le monde savait, ou croyait savoir, tout à mon sujet.

Je m'étais vraiment souvent demandé pourquoi personne n'avait jamais été amoureux de moi. Je n'étais pas laide du tout; en vérité, George Adoniram Maybrick m'avait autrefois écrit un poème dans lequel il célébrait ma beauté de façon tout à fait extravagante; cela ne voulait rien dire parce que

George Adoniram composait des madrigaux pour toutes les jolies filles mais n'avait jamais fréquenté personne d'autre que Flora King qui louchait et avait les cheveux roux. Pourtant, cela prouve que ce n'était pas à cause de mon apparence que j'étais en dehors de la course. Ce n'était pas non plus parce que j'écrivais moi-même de la poésie — quoique pas dans le style de George Adoniram — puisque personne ne l'a jamais su. Quand je sentais l'inspiration venir, je m'enfermais dans ma chambre et j'écrivais dans un petit livre blanc que je gardais sous clef. Il était à présent presque rempli, parce que j'avais écrit de la poésie toute ma vie. C'était la seule chose que j'avais réussi à cacher à Nancy. De toute façon, Nancy n'avait pas une très haute opinion de mon aptitude à m'occuper de moi-même, mais je tremblais à l'idée de ce qu'elle penserait si elle trouvait ce petit livre. J'avais la certitude qu'elle enverrait chercher le médecin en vitesse et insisterait pour m'appliquer un cata-plasme de moutarde en l'attendant.

Je continuais néanmoins à en écrire et, avec mes fleurs, mes chats, mes magazines et mon petit livre, j'étais vraiment heureuse et satisfaite. Mais cela me mortifiait d'entendre Adella Gilbert, qui habite de l'autre côté de la route et qui est mariée à un ivrogne, prendre en pitié la «pauvre Char-lotte» laissée pour compte. Pauvre Charlotte, vraiment! Si je m'étais jetée à la tête d'un homme comme Adella Gilbert l'avait fait... mais voyons, je ne dois pas me laisser aller à de telles pensées. Je dois me montrer charitable.

Le cercle de couture se réunit chez Mary Gillespie le jour de mon quarantième anniversaire. J'avais renoncé à parler de mes anniversaires, bien que ce petit stratagème fût inefficace à Avonlea où tout le monde connaît votre âge. Et quand on fait une erreur, ce n'est jamais pour vous rajeunir. Mais Nancy, qui a pris le pli de célébrer mon anniversaire quand j'étais une fillette, n'en a jamais perdu l'habitude, et je n'es-saie pas de la corriger parce que, après tout, c'est bon de se sentir importante pour quelqu'un. Elle m'apporta mon petit déjeuner au lit, elle qui, tout autre jour de l'année, se rebiffe-rait à l'idée de faire une telle concession à ma paresse. Elle avait préparé tous mes mets préférés et avait décoré le plateau avec des roses du jardin et des fougères de la forêt derrière la maison. Je savourai chaque bouchée de ce festin, puis je me levai et m'habillai; je choisis ma deuxième plus belle robe de mousseline. Si je n'avais pas craint la réaction de Nancy, j'aurais mis la plus belle, mais je savais qu'elle ne pourrait jamais me pardonner cela, même un jour d'anniversaire. J'arrosai mes fleurs et nourris mes chats, puis m'enfermai pour écrire un poème sur le mois de juin. À trente ans, j'avais cessé d'écrire des odes d'anniversaire.

L'après-midi, je me rendis au cercle de couture. Quand je fus prête à partir, je me regardai dans la glace et me demandai si j'avais vraiment quarante ans. J'étais tout à fait sûre de ne pas les paraître. Mes cheveux étaient bruns et ondulés, mon teint était rose, et on pouvait à peine voir mes rides, même si c'était peut-être à cause de la pénombre. Je suspends toujours mon miroir dans le coin le plus sombre de ma chambre. Nancy ne peut comprendre pourquoi. Je sais évidemment que les rides sont là, mais je les oublie quand elles ne sont pas trop en évidence.

Nous avions un grand cercle de couture auquel participaient les jeunes comme les vieilles. C'était par devoir que j'assistais religieusement à ces réunions, même si je n'en tirais pas grand plaisir. Du moins jusqu'à cette fois. Les femmes mariées n'avaient pratiquement qu'un sujet de conversation: leurs maris et leurs enfants; moi, je devais bien entendu garder le silence lorsqu'on abordait ces sujets. Les jeunes filles se regroupaient dans des coins pour parler de leurs soupirants et se taisaient dès que je me joignais à elles, comme si elles étaient sûres qu'il était impossible, pour une vieille fille n'ayant jamais eu d'amoureux, de les comprendre. Quant aux autres vieilles filles, elle potinaient sur tout un chacun, et cela ne me plaisait pas davantage. Je savais que je deviendrais leur cible dès que j'aurais le dos tourné, qu'elles insinueraient que je me teignais les cheveux et déclareraient qu'il était parfaitement ridicule pour une femme de *cinquante* ans de porter une robe de mousseline rose ornée de volants de dentelle.

Tout le monde était présent ce jour-là, car nous préparions une vente d'ouvrages délicats pour contribuer aux réparations du presbytère. Les jeunes filles étaient plus joyeuses et bruyantes que d'habitude. Wilhelmina Mercer était là, et elle faisait les frais de la conversation. La famille Mercer n'était installée à Avonlea que depuis deux mois.

J'étais assise près de la fenêtre et Wilhelmina Mercer, Maggie Henderson, Suzette Cross et Georgie Hall formaient un petit groupe en face de moi. Je n'écoutais pas du tout leur bavardage, pourtant Georgie s'exclama d'un ton taquin:

«Mlle Charlotte se moque de nous. Elle doit nous trouver affreusement stupides de parler de nos amoureux.»

La vérité est que je souriais simplement à propos de très jolies réflexions qui m'avaient été inspirées par les roses grimpant sur le rebord de la fenêtre de Mary Gillespie. J'avais l'intention de les écrire dans mon petit livre blanc à mon retour. Les paroles de Georgie me ramenèrent brusquement à la dure réalité. Elles me blessèrent, comme me blesse toujours ce genre de propos.

«Vous n'avez jamais eu d'amoureux, Mlle Holmes?» demanda Wilhelmina en riant.

Au même moment, il s'était fait un silence dans la pièce et tout le monde entendit la question de Wilhelmina. Je ne sais vraiment pas ce qui m'a pris, je n'ai jamais pu justifier ce que j'ai dit et fait, car je suis d'une nature franche et je déteste tromper les gens. Il me sembla que je ne pouvais tout simplement pas répondre «non» à Wilhelmina devant toutes les femmes réunies dans cette pièce. C'était trop humiliant. Je suppose que toutes les piques et les insultes, tous les sarcasmes que j'avais endurés pendant quinze ans parce que je n'avais jamais eu d'amoureux produisirent ce que le nouveau docteur appelle «un effet cumulatif» et atteignirent là leur paroxysme.

«Oui, ma chérie, j'en ai eu un, un jour», répondis-je calmement.

Pour la première fois de ma vie, je fis sensation. Toutes les femmes de la pièce cessèrent de coudre et me regardèrent fixement. Je vis que la plupart doutaient de la vérité de mes paroles, mais Wilhelmina me crut. Son joli visage rayonna d'intérêt.

«Oh! Parlez-nous de lui, Mlle Holmes, demanda-t-elle d'un ton enjôleur. «Racontez-nous pourquoi vous ne l'avez pas épousé.»

«Vous avez raison, Mlle Mercer, renchérit Josephine Cameron avec un vilain petit rire. Faites-la raconter. Nous sommes toutes intéressées. Personne ne savait que Charlotte avait déjà eu un cavalier.»

Sans les paroles de Josephine, je n'aurais peut-être pas continué. Mais elle les prononça et, qui plus est, je surpris Mary Gillespie et Adella Gilbert en train d'échanger des sourires pleins de sous-entendus. Cela régla la question et me rendit tout à fait téméraire. «Qui vole un œuf, vole un bœuf», me dis-je, et je poursuivis avec un sourire pensif:

«Personne ici n'a jamais rien su de lui, et cela s'est passé il y a très, très longtemps.»

«Comment s'appelait-il?» demanda Wilhelmina.

«Cecil Fenwick», répondis-je aussitôt. Cecil avait toujours été mon prénom masculin préféré et il figurait souvent dans mon livre blanc. Pour ce qui est de Fenwick, j'avais une page de journal dans une main, pour mesurer un ourlet, sur laquelle étaient imprimés les mots «Faites l'essai des pansements adhésifs poreux Fenwick»; j'associai simplement les deux pour créer soudain un nom irrévocable.

«Où l'avez-vous rencontré?» demanda Georgie.

Je revis rapidement mon passé. Il n'y avait qu'un endroit où je pouvais situer Cecil Fenwick. L'unique fois où je m'étais suffisamment éloignée d'Avonlea s'était produite quand, à dix-huit ans, j'étais allée en visite chez une tante au Nouveau-Brunswick.

«À Blakely, Nouveau-Brunswick», répondis-je, et je crus presque que c'était la vérité quand je constatai qu'elles n'en doutèrent pas une seconde. «Je n'avais que dix-huit ans et il en avait vingt-trois.»

«De quoi avait-il l'air?» voulut savoir Suzette.

«Oh! Il était très beau.» Je me mis à décrire sans hésiter mon idéal d'homme. Pour dire l'affreuse vérité, j'y prenais un grand plaisir; je pouvais voir naître le respect dans le regard de ces jeunes filles et je sus que je m'étais pour toujours libérée de ma disgrâce. Je devenais dorénavant une femme au passé romantique, fidèle à l'unique amour de sa vie; c'était très différent que d'être une vieille fille solitaire depuis toujours.

«Il était grand et sombre avec de beaux cheveux noirs et bouclés et des yeux brillants et perçants. Il avait une mâchoire splendide, un nez fin et un sourire tout à fait fascinant.»

«Qu'est-ce qu'il faisait?» demanda Maggie.

«C'était un jeune avocat», dis-je, mon choix de profession ayant été déterminé par un grand portrait au crayon du frère décédé de Mary Gillespie posé sur un chevalet devant moi. Il avait été avocat.

«Pourquoi ne l'avez-vous pas épousé?» demanda Suzette.

«Nous nous sommes querellés, répondis-je tristement. Ce fut une querelle terriblement violente. Oh! Nous étions tous deux si jeunes et si fous. C'était ma faute. J'ai froissé Cecil en flirtant avec un autre homme...» — qu'est-ce que je racontais! — «et il en fut jaloux et fâché. Il est parti pour l'Ouest et n'est jamais revenu. Je ne l'ai jamais revu, et je ne sais même pas s'il est encore en vie. Mais... mais... jamais je n'ai été attirée par un autre homme.»

«Oh! Comme c'est intéressant! soupira Wilhelmina. J'aime tant les histoires d'amour tristes. Mais peut-être qu'il reviendra un jour, Mlle Holmes.»

«Oh! Non, plus jamais, dis-je en hochant la tête. Il m'a sûrement oubliée. Sinon, c'est qu'il ne m'a pas pardonnée.»

Sur ces entrefaites, Susan Jane, la bonne de Mary Gillespie, vint annoncer que le thé était prêt; j'en fus soulagée car l'imagination commençait à me faire défaut et j'ignorais quelle serait la prochaine question de ces filles. Mais je sentis déjà un changement dans l'atmosphère et, pendant tout le repas, je fus submergée par une exultation secrète. Éprouvaisje des remords? De la honte? Pas une miette! J'aurais recommencé n'importe quand et mon seul regret était de ne pas l'avoir fait avant.

Quand je rentrai ce soir-là, Nancy me regarda d'un air étonné et remarqua:

«Vous avez l'air d'une jeune fille, ce soir, Mlle Charlotte.»

«C'est comme ça que je me sens», répliquai-je en riant, puis je m'enfuis dans ma chambre et fis une chose que je n'avais jamais faite: j'écrivis un deuxième poème le même jour. Il fallait que je trouve un moyen d'exprimer mes sentiments. Je l'intitulai «Cet été d'autrefois» et j'y fis figurer les roses de Mary Gillespie et Cecil Fenwick; il était si mélancolique, si nostalgique, si en «mode mineur» que je me sentis parfaitement comblée.

Les deux mois qui suivirent furent joyeux et sans histoire. Personne ne me parla plus de Cecil Fenwick, mais les jeunes filles bavardaient désormais librement devant moi de leurs petites idylles amoureuses, et je devins, pour ainsi dire, leur confidente. Cela me réchauffait le cœur et je me mis à vraiment apprécier les réunions du cercle de couture. Je me procurai plusieurs jolies robes et le plus adorable petit chapeau, j'allai partout où je fus invitée et m'amusai beaucoup.

Soyez pourtant sûrs d'une chose: quand on a commis une faute, on finit toujours par être puni un jour, quelque part, d'une façon ou d'une autre. Mon châtiment fut retardé de deux mois, puis il me tomba sur la tête et j'en fus totalement écrasée.

En plus des Mercer, une autre famille s'était installée à Avonlea ce printemps-là: les Maxwell. Il s'agissait de M. et de Mme Maxwell, un couple fortuné d'âge moyen. M. Maxwell avait acheté la scierie et ils vivaient dans la vieille maison Spencer qui avait toujours été la plus belle résidence d'Avonlea. Ils menaient une vie tranquille; de constitution délicate, Mme Maxwell n'allait presque nulle part. Elle était absente lorsque je lui rendis visite et j'étais sortie lorsqu'elle me rendit ma politesse, de sorte que je ne l'avais jamais rencontrée.

Le cercle de couture s'était de nouveau réuni ce jour-là,

chez Sarah Gardiner, cette fois. J'étais en retard. Tout le
monde était présent lorsque j'arrivai, et je sus en entrant
dans la pièce que quelque chose s'était passé. Il m'était toutefois impossible d'imaginer ce que c'était. Tout le monde me
regardait d'un drôle d'air. Bien entendu, la langue de Wilhelmina Mercer fut la première à se délier.

«Oh! Mlle Holmes, avez-vous réussi à le voir?» s'exclama-
t-elle.

«Voir qui?» demandai-je impassiblement en sortant mon
dé et mes patrons.

«Mais Cecil Fenwick. Il est ici, à Avonlea, en visite chez
sa sœur, Mme Maxwell.»

Je suppose que j'ai dû avoir la réaction à laquelle elles
s'attendaient. Je laissai tout tomber, et Josephine Cameron a
déclaré par la suite que Charlotte Holmes ne pourrait être
plus pâle même dans son cercueil. Si seulement elles avaient
su la raison de ma pâleur!

«C'est impossible!» bredouillai-je, interdite.

«C'est pourtant vrai, dit Wilhelmina, qui paraissait ravie
de ce qu'elle supposait être un nouveau développement de
mon histoire d'amour. J'ai rendu visite à Mme Maxwell hier
soir, et je l'ai rencontré.»

«Ce... ce ne peut... être le même Cecil Fenwick», mur-
murai-je parce qu'il fallait bien que je dise quelque chose.

«Oh! oui, c'est bien lui. Il vient de Blakely, Nouveau-
Brunswick, il est avocat et il a passé vingt-quatre ans dans
l'Ouest. Et il est si beau, exactement comme vous l'avez
décrit, sauf qu'il a les cheveux gris. Il ne s'est jamais marié,
c'est Mme Maxwell qui me l'a appris. Alors, comme vous
voyez, il n'a pas pu vous oublier. Et oh! je crois que cette histoire va avoir un dénouement heureux.»

Je ne pouvais partager son optimisme. Tout me semblait
au contraire tourner horriblement mal. J'étais si déconcertée
que je ne savais que faire ni que dire. J'avais l'impression de
vivre un cauchemar. Il fallait que ce soit un rêve, Cecil Fenwick ne pouvait vraiment exister! Mes sentiments étaient
tout simplement indescriptibles. Heureusement, tout le

monde mit mon agitation sur le compte d'une cause totalement différente, et on me laissa gentiment tranquille pour
retrouver mes esprits. Jamais je n'oublierai cet épouvantable
après-midi. Aussitôt après le thé, je m'excusai et rentrai
directement chez moi aussi vite que je le pus. Là, je m'enfermai dans ma chambre, mais pas pour écrire de la poésie dans
mon livre blanc. Vraiment pas! Je ne me sentais pas d'humeur poétique.

J'essayai de regarder la réalité en face. Aussi extraordinaire que pût être la coïncidence, il existait un Cecil
Fenwick et il se trouvait ici même, à Avonlea. Pour tous mes
amis — et mes ennemis — il s'agissait de l'amoureux
inconnu de ma jeunesse. S'il séjournait longtemps à Avonlea,
une ou deux choses ne manqueraient pas de se produire. Il
entendrait l'histoire que j'avais racontée à son sujet et la
nierait, et j'en serais réduite à la honte et à la dérision pour
le reste de mes jours; ou il partirait sans rien savoir, et tout le
monde supposerait qu'il m'avait oubliée et me prendrait en
pitié, ce qui serait insupportable. Cette dernière possibilité
avait beau être désagréable, elle n'était pourtant rien comparée à la première, et je priai, oui, je priai vraiment, pour qu'il
parte immédiatement. Mais la Providence avait à mon égard
d'autres desseins.

Cecil Fenwick ne s'en alla pas. Il demeura à Avonlea et,
afin de le faire profiter de son séjour, les Maxwell organi-
sèrent une foule de mondanités en son honneur. Il y eut une
réception pour lui chez Mme Maxwell. Je fus invitée, mais
vous pouvez être assurés que je n'y allai pas, même si Nancy
considéra que j'étais folle de refuser. Ensuite, tous les autres
donnèrent des fêtes en son honneur; je fus conviée à toutes
et n'allai à aucune. Wilhelmina vint me supplier, me gronder
et me dire que si j'évitais M. Fenwick de cette façon, il
conclurait que je lui gardais rancune et ne tenterait rien en
vue d'une réconciliation. Wilhelmina avait de louables
intentions, mais elle manquait de jugeote.

Cecil Fenwick semblait être devenu la coqueluche du
village; il était aussi populaire auprès des jeunes que des plus

vieux. Il était également très riche, et Wilhelmina affirmait que la moitié des filles lui couraient après.

«Si ce n'était de vous, Mlle Holmes, je crois que je tenterais ma chance, moi aussi, malgré ses cheveux gris et son caractère prompt, car Mme Maxwell prétend qu'il est soupe-au-lait mais que ses sautes d'humeur ne durent jamais plus d'une minute», dit Wilhelmina, à demi en plaisantant, et totalement sincère.

Quant à moi, je cessai complètement de sortir; je n'allais même plus à l'église. Je me tourmentais et dépérissais, je perdis l'appétit et n'écrivis plus une seule ligne dans mon livre blanc. Inquiète, Nancy insista pour me faire avaler ses pilules préférées. Je les pris docilement, parce que c'était une perte de temps et d'énergie de s'opposer à Nancy, mais elles ne me firent évidemment aucun bien. Mon problème était trop profond pour être guéri par des cachets. Si jamais une femme avait été punie pour avoir dit un mensonge, c'était bien moi. J'annulai mon abonnement au *Weekly Advocate* parce qu'il publiait encore cette maudite publicité sur les pansement adhésifs poreux, et je ne pouvais plus supporter de la voir. Sans cette annonce, je n'aurais jamais pensé au nom de Fenwick et tous ces ennuis auraient été évités.

Un soir que je ruminais dans ma chambre, Nancy entra.

«Il y a un monsieur en bas qui demande à vous voir, Mlle Charlotte.»

Le cœur me sauta dans la poitrine.

«Comment... est-il, Nancy?» bredouillai-je.

«J'pense que c'est ce Fenwick dont on fait tout un plat, répondit Nancy qui ne connaissait rien de mes escapades imaginaires, et il doit être furieux à propos de quelque chose, parce que j'ai jamais vu un air plus renfrogné.»

«Dis-lui que je descends immédiatement, Nancy.»

J'avais parlé calmement. Dès que Nancy fut descendue de son pas pesant, je mis mon fichu de dentelle et deux mouchoirs dans ma ceinture, car je pensais que j'en aurais besoin de plus d'un. Puis je cherchai un vieil *Advocate* en guise de preuve et je descendis au salon. Je sais exactement comment se sent un criminel en route pour son exécution, et je m'oppose depuis à la peine de mort.

J'ouvris la porte du salon et j'entrai après l'avoir soigneusement refermée derrière moi, car Nancy a la déplorable habitude d'écouter dans le couloir. Puis mes jambes se dérobèrent sous moi, et je n'aurais pas été capable de faire un pas de plus, même pour sauver ma vie. Je restai là, une main sur la poignée, tremblant comme une feuille. Un homme se tenait près de la fenêtre sud et regardait dehors; mais il se tourna lorsque j'entrai et, comme Nancy l'avait dit, il avait les sourcils froncés et l'air absolument furibond. Il était très beau, et ses cheveux gris lui conféraient une grande distinction. Je m'en rappelai par la suite, mais vous pouvez être certains qu'à cet instant précis, je n'y prêtai aucune attention.

Puis il se passa tout à coup une chose étrange. Il cessa de froncer les sourcils et la colère disparut de ses yeux. Il eut l'air étonné, puis ahuri. Je vis une rougeur envahir ses joues. Quant à moi, je restais immobile à le dévisager, incapable de prononcer une parole.

«Mlle Holmes, je présume, dit-il finalement d'une voix profonde et émouvante. Je... je... oh! que le diable m'emporte! Je suis venu... j'avais entendu des histoires stupides et je suis venu ici en colère. Je me suis conduit comme un fou... je sais à présent qu'elles étaient fausses. Pardonnez-moi, je vais partir immédiatement et aller me donner des coups de pied quelque part.»

«Non, répondis-je d'une voix étranglée. Il ne faut pas que vous partiez avant d'avoir appris la vérité. C'est déjà assez épouvantable, mais moins que vous pourriez le croire. Ces... ces histoires... je dois vous avouer quelque chose. C'est vrai que je les ai racontées, mais j'ignorais qu'il existait une personne qui s'appelait Cecil Fenwick.»

Il eut l'air estomaqué, comme c'était à prévoir. Ensuite, il sourit, prit ma main et me conduisit loin de la porte, dont je tenais encore la poignée de toutes mes forces, jusqu'au canapé.

«Asseyons-nous et mettons-nous à l'aise pour discuter», dit-il.

Je lui confessai tout simplement cette honteuse affaire. C'était terriblement humiliant, mais cela me servit de leçon. Je lui racontai comment les gens ne cessaient de me taquiner parce que je n'avais jamais eu d'amoureux, et comment je leur avais dit en avoir eu un. Je lui montrai l'annonce du pansement adhésif poreux. Il m'écouta jusqu'à la fin sans m'interrompre, puis il rejeta en arrière sa grosse tête grise et bouclée et éclata de rire.

«Voilà qui explique un grand nombre de sous-entendus mystérieux dont j'ai eu bruit depuis mon arrivée à Avonlea, dit-il. Finalement, Mme Gilbert s'est pointée chez ma sœur après-midi avec un interminable méli-mélo d'invraisemblances à propos d'une idylle que j'étais censé avoir vécue avec une certaine Charlotte Holmes. Elle a affirmé que c'est vous-même qui lui aviez raconté cela. J'avoue que j'ai vu rouge. Je suis un type prompt et j'ai pensé... j'ai pensé, oh! que le diable m'emporte, je fais aussi bien de le dire: j'ai pensé que vous étiez une vieille fille terne qui s'amusait à raconter des sornettes à mon sujet. Quand vous êtes entrée dans la pièce, j'ai compris que si quelqu'un était à blâmer, ce n'était pas vous.»

«Mais je le suis, protestai-je d'un air piteux. Je n'avais pas le droit de raconter une telle histoire... et c'était aussi très stupide. Mais qui aurait cru qu'il existait un vrai Cecil Fenwick ayant vécu à Blakely? Je n'ai jamais entendu parler d'une coïncidence pareille.»

«C'est plus qu'une coïncidence, affirma M. Fenwick. C'est de la prédestination, voilà ce que c'est. À présent, oublions tout cela et parlons d'autre chose.»

Nous parlâmes d'autre chose, du moins, M. Fenwick parla, car j'avais trop honte pour dire grand-chose; et il parla si longtemps que Nancy perdit patience et se mit à trottiner dans le corridor toutes les cinq minutes. M. Fenwick n'eut cependant pas l'air de comprendre le message. Quand il prit finalement congé, il me demanda l'autorisation de revenir.

«Il est temps que nous réglions cette vieille querelle, vous savez», dit-il en riant.

Et moi, une vieille fille de quarante ans, je me surpris à rougir comme une jouvencelle. Mais je me sentais rajeunie, car c'était un tel soulagement d'en avoir terminé avec cette explication. Je ne pouvais même pas en vouloir à Adella Gilbert. Elle avait toujours été gaffeuse, et quand une femme est née comme ça, elle est davantage à prendre en pitié qu'à blâmer. Avant d'aller dormir, j'écrivis un poème dans mon livre blanc; il y avait un mois que je n'avais rien écrit et c'était bon d'être encore capable de le faire.

M. Fenwick revint le lendemain matin. Et il revint par la suite si souvent que même Nancy se résigna à sa présence. Un jour, je dus lui apprendre quelque chose. Je reculais à l'idée de le faire, car je craignais de la chagriner.

«Oh! J'm'y attendais, dit-elle sombrement. Dès l'instant où cet homme est entré dans la maison, j'ai senti qu'il apporterait des ennuis. Eh bien, Mlle Charlotte, je vous souhaite bien du bonheur. J'sais pas comment j'vais réagir au climat de la Californie, mais j'suppose que j'devrai m'en accommoder.»

«Mais Nancy, dis-je, je ne m'attends pas à ce que tu m'accompagnes là-bas. Ce serait trop te demander.»

«Et où est-ce que j'irais? demanda Nancy, réellement éberluée. Et comment, mon Dieu, allez-vous pouvoir vous occuper d'une maison sans moi? J'vais certainement pas vous laisser à la merci d'un autre domestique, d'un Chinois jaune avec une natte! Où vous allez, je vais, Mlle Charlotte, un point, c'est tout.»

J'étais très contente car je détestais l'idée de me séparer de Nancy, même pour partir avec Cecil. Quant au livre blanc, je n'en ai pas encore parlé à mon mari, mais j'ai l'intention de le faire un jour. Et j'ai renouvelé mon abonnement au *Weekly Advocate*.

3

La fille de son père

«Nous devrons inviter ta tante Jane, évidemment», dit Mme Spencer.

Rachel esquissa un mouvement de protestation avec ses grandes et fines mains blanches, si différentes des mains osseuses, basanées et noueuses jointes sur la table, en face d'elle. Ce n'était pas le fait d'avoir travaillé ou non qui expliquait cette différence, car Rachel avait trimé dur toute sa vie. La différence relevait plutôt du tempérament. Les Spencer, qu'ils fussent oisifs ou âpres à la tâche, avaient tous des mains potelées, lisses et blanches, avec des doigts fermes et souples; les Chiswick, même les fainéants, avaient les mains dures, noueuses et tordues. Qui plus est, le contraste ne se limitait pas à l'apparence, mais se jumelait aux fibres les plus intimes de la vie, de la pensée et de l'action.

«Je ne vois pas pourquoi nous devons inviter tante Jane, dit Rachel avec autant d'impatience que sa voix douce et profonde pouvait en exprimer. Elle ne m'aime pas et je ne l'aime pas non plus.»

«Je ne comprends pas pourquoi, répondit Mme Spencer. C'est ingrat de ta part. Elle s'est toujours montrée très gentille avec toi.»

«Elle a toujours été généreuse d'une seule main, rétorqua

Rachel en souriant. Je me rappelle la toute première fois que j'ai vu tante Jane. Elle me tendait une petite pelote à épingles en velours ornée de perles. Et alors, parce que, dans ma timidité, je ne l'ai pas remerciée aussi vite que je l'aurais dû, elle me tapa sur la tête avec le doigt où elle portait son dé, pour "m'apprendre les bonnes manières". Ça m'a fait horriblement mal — j'ai toujours eu le crâne sensible. Et elle n'a jamais changé d'attitude à mon égard. Quand je suis devenue trop vieille pour les coups de dé, elle s'est servie de sa langue et cela fait encore plus mal. Et tu sais bien, maman, comment elle parlait de mes fiançailles. Elle est capable de gâcher toute l'atmosphère si par hasard elle est de mauvais poil. Je ne veux pas la voir.»

«Il faut l'inviter. Les gens jaseraient sinon.»

«Et pourquoi jaseraient-ils? Après tout, elle n'est que ma grand-tante par alliance. Et cela me serait parfaitement égal que les gens jasent. Ils le feront de toute façon, et tu le sais bien, maman.»

«Oh! Il faut l'inviter», trancha Mᵐᵉ Spencer avec cette indifférence définitive qui marquait chacune de ses paroles et de ses décisions, aspect définitif contre lequel il ne servait habituellement à rien de s'opposer. Les personnes qui le savaient s'y risquaient rarement; les étrangers le faisaient à l'occasion, trompés par les apparences. Car Isabella Spencer était une femme menue au joli visage pâlot, aux yeux gris ourlés de longs cils. Elle avait une masse de cheveux bruns doux, soyeux et sans éclat, de délicats traits aquilins et une petite bouche rouge et enfantine. À la voir, on aurait dit qu'un coup de vent allait la jeter à terre. En réalité, même une tornade n'aurait pu la faire dévier d'un pouce du chemin qu'elle s'était tracé.

L'espace d'un instant, Rachel prit un air révolté; puis elle céda, comme elle le faisait en général lorsqu'elle avait des divergences d'opinion avec sa mère. Il ne valait pas la peine de se disputer à propos de cette bagatelle que constituait l'invitation de tante Jane. Une querelle serait peut-être inévitable plus tard et Rachel voulait garder toutes ses énergies pour celle-là. Elle haussa les épaules et inscrivit le nom de tante Jane au bas de sa liste d'invités de sa grande écriture quelque peu désordonnée, une calligraphie qui semblait toujours irriter sa mère sans que Rachel ait jamais pu comprendre pourquoi. Elle n'aurait pas pu imaginer que c'était parce que son écriture ressemblait à celle d'un paquet de lettres fanées que Mme Spencer conservait au fond d'une vieille malle en poil de cheval dans sa chambre. Elles portaient le tampon de ports de mers situés un peu partout dans le monde. Mme Spencer ne les lisait jamais; elle ne leur jetait même pas un regard. Mais elle se souvenait de tous les traits, de toutes les courbes de cette calligraphie.

Isabella Spencer avait triomphé de bien des choses dans sa vie par la simple force et la ténacité de sa volonté. Mais elle ne pouvait avoir le dessus sur l'hérédité. Rachel était la fille de son père à tous les égards et Isabella Spencer réussissait à ne pas la détester qu'en l'aimant encore plus passionnément. Même alors, il lui arrivait souvent de devoir détourner les yeux du visage de Rachel à cause du choc que lui causaient des souvenirs encore plus subtils; et jamais, depuis la naissance de son enfant, Isabella n'avait pu supporter de la regarder pendant son sommeil.

Rachel devait épouser Frank Bell quinze jours plus tard. Mme Spencer était enchantée de cette union. Elle aimait beaucoup Frank, dont la ferme était si proche de la sienne qu'elle ne perdrait pas complètement Rachel. Rachel pensait affectueusement que sa mère ne la perdrait pas du tout; mais Isabella Spencer, que l'expérience avait assagie, savait ce que le mariage de sa fille signifierait pour elle et ce n'est qu'en blindant son cœur qu'elle parvenait à le supporter.

Elles étaient dans le salon en train d'achever la liste des invités et d'autres détails. Le soleil de septembre s'infiltrait à travers les branches agitées du pommier qui avait poussé près de la fenêtre basse. Ses lueurs ondulaient sur le visage de Rachel qui était aussi pâle qu'un lis avec une seule petite touche de couleur aux joues. Sa chevelure soyeuse et dorée l'encadrait joliment. Elle avait le front très large et blanc. Elle était fraîche, jeune et pleine d'espoir. Le cœur de sa

mère se contracta de douleur en la regardant. Comme cette
fille ressemblait aux... aux... aux Spencer! Ces traits fins et
recourbés, ces grands yeux bleus et joyeux, ce menton
finement modelé! Isabella Spencer serra fermement les
lèvres et écrasa les souvenirs importuns.

«Tout compte fait, il y aura une soixantaine d'invités,
dit-elle comme si c'était son seul sujet de préoccupation. Il
faudra sortir les meubles de cette pièce pour placer la table
du souper. La salle à manger est trop petite. Nous devrons
emprunter l'argenterie de Mme Bell. Elle m'a proposé de nous
la prêter. Je n'aurais jamais osé la lui demander. Il faudra
blanchir les nappes damassées ornées de ruban. Personne ne
possède de telles nappes à Avonlea. Et nous monterons la
petite table de la salle à manger sur le palier, en haut, pour
les cadeaux.»

Rachel ne songeait ni aux cadeaux ni aux détails domestiques du mariage. Sa respiration s'accéléra et la faible teinte
de ses joues lisses s'accentua jusqu'à devenir cramoisie. Elle
savait que l'instant critique approchait. D'une main ferme,
elle inscrivit un dernier nom sur sa liste et tira un trait.

«Eh bien, tu as fini? demanda sa mère avec impatience.
Donne-la-moi pour que je m'assure que tu n'as oublié personne.»

Rachel lui tendit silencieusement la feuille à travers la
table. L'atmosphère lui semblait s'être figée. Elle pouvait
entendre les mouches bourdonner dans les carreaux, le doux
ronron du vent autour des avant-toits et à travers les
branches du pommier, les battements saccadés de son propre
cœur. Elle se sentait terrifiée, nerveuse, mais résolue.

Mme Spencer parcourut la liste, murmurant les noms à
voix haute et hochant, à chacun, la tête en signe d'appro-
bation. Mais quand elle parvint au dernier nom, elle ne le
prononça pas. Elle jeta un regard furibond à Rachel et une
étincelle jaillit dans les profondeurs de ses yeux pâles. Son
visage exprimait la colère, la stupéfaction, l'incrédulité.
Surtout l'incrédulité.

Le dernier nom de la liste des invités au mariage était

celui de David Spencer. David Spencer vivait seul dans un cottage au petit port. Il était à la fois marin et pêcheur. Il était aussi le mari d'Isabella Spencer et le père de Rachel.

«Rachel Spencer, as-tu perdu l'esprit? Que signifie une telle absurdité?»

«Cela signifie seulement que je vais inviter mon père à mon mariage», répondit calmement Rachel.

«Pas dans ma maison», cria Mme Spencer, les lèvres exsangues, comme foudroyées par sa voix furieuse.

Rachel se pencha en avant, croisa résolument ses grandes mains sur la table, et regarda sans broncher le visage crispé de sa mère. Sa frayeur et sa nervosité avaient disparu. À présent que le conflit était réellement engagé, elle y prenait un certain plaisir. Elle s'interrogea sur elle-même et se dit qu'elle devait être méchante. Elle n'avait pas l'habitude de l'auto-analyse, sans quoi elle aurait pu conclure que c'était la soudaine affirmation de sa propre personnalité, depuis si longtemps dominée par celle de sa mère, qu'elle trouvait si agréable.

«Alors il n'y aura pas de noce, maman, dit-elle. Frank et moi nous irons simplement nous marier au presbytère, après quoi nous nous en irons chez nous. Si je ne peux inviter mon père à mon mariage, personne d'autre n'y sera invité.»

Ses lèvres se serrèrent. Pour la première fois de sa vie, Isabella Spencer vit, dans le visage de sa fille, un reflet d'elle-même qui lui rendait son regard, une ressemblance étrange et indéfinissable qui tenait davantage de l'âme et de l'esprit que de la chair et du sang. Au lieu d'en ressentir de la colère, elle fut émue. Comme jamais auparavant, elle prit conscience que cette fille était leur enfant, à son mari et à elle, qu'elle constituait un lien vivant entre eux, là où leurs natures opposées se mêlaient et se réconciliaient. Elle s'aperçut aussi que Rachel, depuis si longtemps gentiment docile et obéissante, entendait avoir, dans ce cas-ci, ce qu'elle voulait, et qu'elle l'aurait.

«Je dois t'avouer que je ne vois pas pourquoi tu tiens tant à ce que ton père assiste à ton mariage, dit-elle en reniflant avec amertume. Il ne s'est jamais rappelé qu'il était ton père. Il se fiche complètement de toi, comme il l'a toujours fait.»

Rachel ne réagit pas à ce sarcasme. Il n'avait pas le pouvoir de la blesser, son venin étant neutralisé par un secret qu'elle n'avait jamais partagé avec sa mère.

«Ou j'invite mon père à la noce, ou il n'y a pas de noce», répéta-t-elle fermement. Cette façon de répéter un argument était la tactique de sa mère et elle s'était toujours avérée efficace.

«Alors, invite-le, interrompit Mme Spencer, avec la mauvaise grâce d'une femme accoutumée à faire toujours à son gré et obligée, pour une fois, de céder. Cela ne peut faire ni bien ni mal. Il ne viendra pas, de toute façon.»

Rachel ne répondit pas. À présent que la bataille était terminée et qu'elle avait remporté la victoire, elle se retrouva fébrile et au bord des larmes. Elle se leva rapidement et monta dans sa chambre, une petite pièce assombrie par les épais bosquets de bouleaux qui se dressaient à l'extérieur, une chambre virginale, à sa propre image. Elle s'étendit sur son petit lit recouvert d'une courtepointe bleue et blanche, et versa des larmes douces et amères.

Son cœur, à ce tournant de sa vie, languissait de son père, qui était presque un étranger pour elle. Elle savait que sa mère avait probablement dit vrai et qu'il ne viendrait pas. Rachel eut l'impression qu'au serment qu'elle prononcerait à son mariage manquerait un caractère sacré indéfinissable si son père n'était pas là pour l'entendre.

Vingt-cinq ans auparavant, David Spencer et Isabella Chiswick s'étaient mariés. Les envieux prétendaient qu'elle l'avait sans aucun doute épousé par amour car il ne possédait ni terre ni argent pour l'inciter à faire un mariage de raison. David était un bel homme, et le sang des bourlingueurs coulait dans ses veines.

Il avait été marin, tout comme son père et son grand-père avant lui; mais quand il avait épousé Isabella, elle l'avait persuadé de renoncer à la mer pour s'établir avec elle sur une ferme prospère que son père lui avait léguée. Isabella aimait la terre, et elle avait une passion pour les arpents fertiles et les vergers opulents. Elle détestait la mer et tout ce qui s'y rapportait. Si elle la détestait ainsi, ce n'était pas parce que les dangers que la mer représentait la terrifiaient, mais plutôt parce que, depuis toujours, elle était convaincue que les marins se situaient au bas de l'échelle sociale, formant une race de vagabonds nécessaires. À ses yeux, cette dénomination était teintée de disgrâce. Il fallait que David se transformât en un respectable et sédentaire cultivateur de vastes terres.

Pendant cinq ans, tout était allé comme sur des roulettes. Si, parfois, l'appel du large avait troublé David, il l'avait refoulé, refusant d'écouter sa voix invitante. Il était très heureux avec Isabella; leur regret de ne pas avoir d'enfants était la seule ombre au tableau.

La sixième année marqua une crise et un changement. Le Capitaine Barrett, un vieux camarade de David, lui avait proposé de s'embarquer avec lui comme second. À cette suggestion, tout le désir des grands espaces bleus de l'océan et du vent qui siffle dans les espars, portant une écume salée, ce désir que David avait depuis si longtemps réprimé le submergea avec une passion que cette répression même rendit plus intense encore. Il devait faire ce voyage avec James Barrett, il le devait! Après cela, il serait de nouveau satisfait, mais il devait y aller. Son âme luttait en lui comme si elle était prisonnière. Isabella s'était violemment et sans subtilité opposée à ce projet, faisant à David de mordants sarcasmes et des reproches injustes. Mais David était entêté. De plus, il s'ennuyait de la mer, ce qu'Isabella, descendant de cinq générations de fermiers, ne pouvait absolument pas concevoir.

Il était déterminé à faire ce voyage, et il l'avait clairement fait comprendre à sa femme.

«Je n'en peux plus de labourer et de traire les vaches», avait-il déclaré avec fougue.

«Tu veux dire que tu n'en peux plus de mener une vie respectable», avait persiflé Isabella.

«Peut-être, avait répondu David, en haussant les épaules avec mépris. En tout cas, je pars.»

«Si tu fais ce voyage, David Spencer, ne reviens jamais ici», avait rétorqué résolument Isabella.

David était parti; il n'avait pas cru qu'elle pensait vraiment ce qu'elle disait. Isabella avait pris ce départ pour une marque d'indifférence. David Spencer avait laissé derrière lui une femme extérieurement calme, mais qui, à l'intérieur, était un volcan bouillonnant de colère, d'orgueil blessé et de volonté contrariée.

Il avait retrouvé exactement la même femme quand il était revenu, le teint hâlé, joyeux, dompté pour quelque temps de son goût pour l'errance, disposé, avec une affection véritable, à retourner aux champs et aux pâturages. Isabella l'avait accueilli à la porte, sans sourire, le regard froid, les lèvres serrées.

«Qu'est-ce que tu veux?» avait-elle demandé du ton qu'elle prenait pour s'adresser aux vagabonds et aux colporteurs.

«Ce que je veux!» L'étonnement de David l'avait décontenancé. «Ce que je veux! Eh bien, je... je veux ma femme. Je suis revenu à la maison.»

«Ce n'est plus ta maison. Je ne suis plus ta femme. Tu as fait ton choix quand tu es parti», avait répondu Isabella. Ensuite, elle était entrée, avait fermé la porte et la lui avait verrouillée au nez.

David était resté là quelques minutes, comme étourdi. Puis il avait fait volte-face et s'était éloigné dans le sentier sous les bouleaux. Il n'avait rien dit, ni à ce moment-là ni par la suite. À partir de ce jour, il n'avait plus jamais fait allusion à sa femme ni à rien de ce qui la concernait.

Il s'était rendu directement au port et s'était embarqué avec le Capitaine Barrett pour un autre voyage. À son retour un mois plus tard, il avait acheté une maisonnette et l'avait hâlée jusqu'au petit port, une anse isolée d'où on ne pouvait voir aucune autre habitation humaine. Entre ses voyages, il vivait là l'existence d'un reclus; la pêche et le violon étaient ses seules occupations. Il n'allait nulle part et n'encourageait aucune visite.

Isabella Spencer avait elle aussi adopté la tactique du silence. Lorsque, scandalisés, les Chiswick, tante Jane en tête, avaient essayé de la raisonner puis l'avaient suppliée, Isabella était restée de glace, ne paraissant même pas entendre ce qu'ils disaient et dédaignant de leur répondre. Elle les écrasa totalement. Comme tante Jane le disait d'un air dégoûté: «Que faire avec une femme qui n'ouvre même pas la bouche?»

Rachel était née cinq mois après que David Spencer eut été mis à la porte de chez sa femme. Si David était revenu à ce moment-là, humble et repentant, le cœur d'Isabella, adouci par la douleur et la joie de cette maternité longuement et ardemment désirée, aurait peut-être chassé le tenace venin de rancune qui l'avait empoisonné et elle se serait alors réconciliée avec lui. Mais David n'était pas venu; jamais il n'avait manifesté le moindre intérêt à la naissance de cet enfant autrefois désiré.

Quand Isabella fut de nouveau sur pied, son visage pâle s'était encore endurci et, s'il y avait eu auprès d'elle quelqu'un d'assez perspicace, il aurait remarqué un subtil changement dans son attitude et ses manières. Une certaine attente fébrile, une agitation flottante avaient disparu. Isabella avait cessé d'espérer secrètement le retour de son mari. Elle avait, dans le secret de son âme, pensé qu'il reviendrait et avait eu l'intention de lui pardonner une fois qu'elle l'aurait suffisamment humilié et qu'il se serait abaissé comme, d'après elle, il devait le faire. Mais elle savait désormais qu'il ne désirait pas solliciter son pardon. La haine fétide qui jaillit de son ancien amour se développa rapidement et solidement.

Du plus loin que remontaient ses souvenirs, Rachel avait été vaguement consciente d'une différence entre sa propre vie et celle de ses camarades. Pendant longtemps, cela avait tourmenté son esprit d'enfant. Elle en était finalement arrivée à la conclusion que ce qui la différenciait des autres, c'était le fait que les autres enfants avaient un père et qu'elle, Rachel Spencer, n'en avait pas, pas même au cimetière, comme c'était le cas pour Carrie Bell et Lilian Boulter. Comment expliquer cela? Rachel était allée directement à sa mère, avait posé une petite main dodue sur le genou d'Isabella Spencer et, levant vers elle ses grands yeux bleus inquisiteurs, elle avait demandé gravement:

«Maman, pourquoi je n'ai pas un père comme les autres petites filles?»

Isabella Spencer avait déposé son travail, pris sur ses genoux la fillette de sept ans et lui avait narré toute l'histoire en quelques mots directs et amers qui s'imprimèrent dans la mémoire de Rachel. Elle venait de comprendre qu'elle ne pourrait jamais avoir de père et qu'à cet égard, elle ne serait jamais comme les autres.

«Ton père se fiche de toi, avait conclu Isabella Spencer. Il ne s'est jamais intéressé à toi. Tu ne dois jamais plus parler de lui à personne.»

Rachel s'était glissée en silence des genoux de sa mère et, le cœur gros, elle avait couru se réfugier dans le jardin printanier. Là, elle avait pleuré à chaudes larmes en se rappelant les dernières paroles de sa mère. Cela lui paraissait terrible de savoir que son père ne l'aimait pas, et très cruel de ne jamais pouvoir parler de lui.

Bizarrement, la sympathie de Rachel allait vers son père, pour autant qu'elle pouvait comprendre cette vieille querelle. Elle n'aurait pourtant jamais eu l'idée de désobéir à sa mère et ne lui désobéit pas. Jamais plus elle ne parla de lui. Mais Isabella ne lui avait pas interdit de penser à son père, et Rachel pensa donc constamment à lui, si constamment que, de façon étrange, il sembla devenir une partie cachée de sa vie intérieure, le compagnon invisible et omniprésent de toutes ses expériences. Enfant pleine d'imagination, elle fit en pensée connaissance avec lui. Elle ne l'avait jamais vu mais il était pourtant, pour elle, plus réel que bien des personnes de son entourage. Il jouait et parlait avec elle comme jamais sa mère ne l'avait fait; il l'accompagnait dans le verger, les champs et le jardin; au crépuscule, il s'asseyait à son chevet; et elle lui chuchotait des secrets qu'elle ne confiait à personne d'autre. Un jour, sa mère lui avait demandé avec impatience pourquoi elle passait son temps à se parler toute seule.

«Ce n'est pas à moi que je parle. Je parle avec un de mes amis très chers», avait répondu gravement Rachel.

«Petite sotte», avait dit sa mère en riant, mi-indulgente, mi-désapprobatrice.

Deux ans plus tard, quelque chose de merveilleux était arrivé à Rachel. Un après-midi d'été, elle s'était rendue au port avec quelques camarades. Une telle excursion était considérée comme une faveur particulière, car Isabella Spencer l'autorisait rarement à s'éloigner de la maison sans elle. Comme Isabella n'était pas une compagne des plus divertissantes, Rachel n'avait jamais beaucoup apprécié sortir avec elle.

Les enfants avaient longtemps marché sur la grève; finalement, ils étaient arrivés à un endroit que Rachel n'avait jamais vu auparavant. C'était une anse peu profonde où l'eau ronronnait sur le sable jaune. Derrière, l'océan bleu et inlassable miroitait au soleil. Un bateau blanc avait été hâlé sur les cales, et on voyait une drôle de maisonnette tout près de la plage, évoquant un gros coquillage rejeté par les vagues. Rachel avait regardé tout cela en éprouvant un plaisir secret; elle aussi, comme son père, aimait les lieux solitaires près de la grève et de la mer. Elle avait eu envie de flâner un peu dans cet endroit adorable et de le savourer en paix.

«Je suis fatiguée, les filles, avait-elle annoncé. Je vais rester ici et me reposer un peu. Je ne veux pas aller à la Pointe au Goéland. Allez-y sans moi. Je vais vous attendre ici.»

«Toute seule?» s'était étonnée Carrie Bell.

«Je n'ai pas peur de rester seule, moi», avait répliqué Rachel avec dignité.

Les autres fillettes étaient donc parties, laissant Rachel assise sur les cales, à l'ombre du grand bateau blanc. Elle était restée là quelque temps, à rêvasser, heureuse, ses grands yeux fixés sur l'horizon nacré, et sa tête dorée appuyée contre le navire.

Tout à coup, elle avait entendu un pas derrière elle. En tournant la tête, elle avait vu un homme debout près d'elle et qui la regardait de ses grands yeux bleus et rieurs. Rachel était tout à fait certaine de ne l'avoir jamais rencontré avant; pourtant, ces yeux avaient quelque chose de familier. Il lui plut. Elle ne se sentit ni timide ni gauche, comme elle en avait l'habitude en présence d'étrangers.

C'était un grand homme robuste, vêtu d'un grossier habit de pêcheur, et portant sur la tête un chapeau ciré. Ses cheveux blonds étaient épais et bouclés, ses joues, basanées, ses dents, quand il souriait, étaient égales et blanches. Rachel pensa qu'il devait être assez vieux, car beaucoup de gris se mêlait à ses cheveux blonds.

«Est-ce que tu attends les sirènes?» avait-il demandé.

Rachel avait hoché gravement la tête. Elle n'aurait jamais avoué cette pensée à personne d'autre.

«Oui, avait-elle répondu. Maman dit que les sirènes n'existent pas, mais moi, j'aime penser que oui. En avez-vous déjà vu une?»

«Non, je suis désolé, je n'en ai jamais vu. Mais j'ai vu plein d'autres choses merveilleuses. Je pourrais te dire ce que c'est si tu viens t'asseoir près de moi.»

Rachel y alla sans hésiter. Quand elle fut près de lui, il la souleva et l'installa sur ses genoux, et cela lui plut.

«Comme tu es jolie, avait-il dit. À présent, penses-tu que tu pourrais me donner un baiser?»

D'habitude, Rachel avait horreur d'embrasser les gens. On pouvait rarement la convaincre d'embrasser même ses oncles qui, le sachant, avaient coutume de la taquiner en lui demandant des baisers jusqu'à ce qu'elle soit si exaspérée qu'elle se fâche. Mais cette fois-là, elle avait aussitôt mis ses bras autour du cou de cet homme inconnu et lui avait donné un baiser sonore.

«Je vous aime bien», avait-elle déclaré avec franchise.

Elle avait senti ses bras la serrer plus fort. Les yeux bleus qui la regardaient s'étaient voilés et étaient devenus plus tendres. Alors, d'un seul coup, Rachel avait su qui il était. C'était son père. Elle n'avait rien dit, mais avait posé sa tête bouclée sur son épaule et éprouvé un grand bonheur, comme si elle venait de parvenir au hâvre auquel elle aspirait depuis longtemps. Si David Spencer s'était aperçu qu'elle avait compris, il n'en dit pourtant rien. Il se mit plutôt à lui raconter des histoires fascinantes sur les pays lointains qu'il avait visités et les choses étranges qu'il y avait vues. Rachel l'écoutait, extasiée, comme s'il lui racontait un conte de fée. Oui, il était exactement tel qu'elle l'avait imaginé. Elle avait toujours été convaincue qu'il pourrait lui raconter de belles histoires.

«Viens chez moi et je vais te montrer de jolies choses», avait-il proposé finalement.

Une heure merveilleuse avait suivi. La petite pièce à plafond bas et à fenêtre carrée où il l'avait amenée était remplie de souvenirs marins de sa vie aventureuse, des choses indescriptiblement ravissantes et insolites. Rachel avait été particulièrement impressionnée par deux énormes coquillages rose pâle avec des taches rouges et violettes, posés sur le manteau de la cheminée.

«Oh! J'ignorais que des choses aussi belles pouvaient exister», s'était-elle exclamée.

«Si tu veux...», avait commencé le grand homme; puis il s'était arrêté un instant. «Je vais te montrer des choses encore plus jolies.»

Rachel avait eu l'intuition qu'il voulait lui dire autre chose quand il avait commencé sa phrase; mais elle avait oublié de se demander ce que c'était en voyant l'objet qu'il avait sorti d'une petite étagère de coin. Il s'agissait d'une théière en porcelaine violette, fine et luisante, ornée de dragons aux griffes et écailles dorées. Le couvercle ressemblait à une belle fleur d'or et la poignée était formée par la queue d'un dragon. Rachel s'assit pour la contempler, les yeux écarquillés.

«C'est la seule chose de quelque valeur que je possède au monde... à présent», avait-il dit.

Rachel avait décelé quelque chose de très triste dans ses yeux et sa voix. Elle avait eu envie de l'embrasser encore et de le consoler. Mais il avait soudain éclaté de rire et lui avait cherché quelque chose à manger, les friandises les plus délicieuses qu'elle pût imaginer. Pendant qu'elle les grignotait, il avait saisi son vieux violon et s'était mis à jouer une musique qui lui avait donné le goût de danser et de chanter. Rachel s'était sentie parfaitement heureuse. Elle avait souhaité pouvoir rester toujours dans cette pièce basse et sombre recelant tous ces trésors.

«Je vois tes petites amies arriver au bout de la pointe, avait-il dit finalement. Tu dois t'en aller, je suppose. Mets le reste des sucreries dans ta poche.»

Il l'avait soulevée dans ses bras et l'avait serrée un instant contre sa poitrine. Elle avait senti qu'il embrassait ses cheveux.

«Allez, va vite, petite fille. Au revoir», avait-il dit gentiment.

«Pourquoi vous ne me demandez pas de revenir vous voir, avait crié Rachel, au bord des larmes. De toute façon, je vais revenir.»

«Si tu le peux, reviens, avait-il répondu. Si tu ne viens pas, je comprendrai que cela t'est impossible et cela me consolera de le savoir. Je suis très, très, très content, petite femme, que tu sois venue une fois.»

Rachel était candidement assise sur les cales au retour de ses camarades. Elles ne l'avaient pas vue sortir de la maison et Rachel ne leur avait pas raconté son expérience. Elle s'était contentée de sourire mystérieusement quand elles lui avaient demandé si elle s'était ennuyée.

Ce soir-là, pour la première fois, elle avait mentionné le nom de son père dans ses prières. Elle n'oublia jamais plus de le faire par la suite. Elle disait toujours «bénissez maman... et papa» en faisant instinctivement une pause entre les deux noms, une pause indiquant qu'elle avait désormais conscience de la tragédie qui les avait séparés. Et elle mettait plus de douceur et de tendresse pour dire «papa» que «maman».

Rachel n'était jamais retournée au petit port. Isabella Spencer avait découvert que les enfants étaient allées là et, quoiqu'elle ne sût rien de l'entretien que Rachel avait eu avec son père, elle lui avait néanmoins interdit de retourner dans cette partie de la plage. Cet ordre fit secrètement verser plusieurs larmes amères à Rachel, mais elle y obéit. Il n'y eut dès lors plus aucune communication entre elle et son père, à l'exception des messages inaudibles que deux âmes peuvent se transmettre, quelle que soit la distance qui les sépare.

Le faire-part de mariage fut envoyé à David Spencer avec les autres, et les derniers jours de sa vie de jeune fille, Rachel les passa dans un tourbillon de préparatifs fébriles qui, s'ils ne lui plaisaient pas, ravissaient néanmoins sa mère. Le jour du mariage arriva finalement, se levant doucement et féeriquement sur le grand océan dans un éclat d'argent, de nacre et de rose; c'était un jour de septembre aussi doux et beau qu'un jour de juin. La cérémonie devait avoir lieu à vingt heures. À dix-neuf heures, Rachel était dans sa chambre; elle avait fini de s'habiller et elle était seule. Elle n'avait pas de demoiselle d'honneur, et elle avait demandé à ses cousines de la laisser vivre seule cette dernière heure solennelle de son célibat. Elle était ravissante dans la lumière du soleil couchant s'infiltrant à travers les bouleaux. Sa robe de mariée était en organdi diaphane, d'une coupe simple et charmante. Dans sa chevelure dénouée, elle portait les fleurs offertes par son fiancé, des roses d'une blancheur virginale. Elle se sentait très heureuse; à son bonheur se mêlait pourtant un léger chagrin inhérent à tout changement.

Sa mère entra, portant une petite corbeille.

«Voici quelque chose pour toi, Rachel. C'est un des gamins du port qui vient de l'apporter. Il tenait absolument à te remettre le colis en mains propres; il prétendait avoir reçu des instructions. Mais je l'ai renvoyé sans façon en lui disant que je te l'apporterais immédiatement et que c'était tout ce qui était nécessaire.»

Elle parlait froidement. Elle savait parfaitement qui avait envoyé la corbeille et n'était pas contente, mais sa colère n'était cependant pas aussi forte que sa curiosité. Elle resta silencieuse et immobile pendant que Rachel ouvrait le présent.

Les mains de la jeune fille tremblaient quand elle souleva le couvercle. Elle vit d'abord deux gros coquillages roses tachetés. Comme elle se souvenait bien d'eux! En dessous, soigneusement enveloppée dans un carré de soie dégageant un parfum exotique, il y avait la théière dragon. Elle la tint dans ses mains et la regarda fixement, les yeux pleins de larmes.

«C'est ton père qui a envoyé ça, dit Isabella Spencer d'une voix altérée. Je m'en souviens parfaitement. C'était parmi les choses que j'ai emballées et que je lui ai fait parvenir. Son père l'avait rapportée de Chine il y a cinquante ans et il y tenait comme à la prunelle de ses yeux. On prétendait que ça valait beaucoup d'argent.»

«Maman, je t'en prie, laisse-moi seule quelques instants», supplia Rachel. Elle venait d'apercevoir une petite lettre au fond du panier et sentait qu'elle n'aurait pu la lire en présence de sa mère.

Mme Spencer se retira avec un empressement inhabituel, et Rachel se dirigea rapidement vers la fenêtre où elle parcourut la lettre dans les dernières lueurs du crépuscule. Elle était très brève et l'écriture était celle d'un homme qui se sert rarement d'une plume.

«Ma chère petite fille, je suis désolé de ne pouvoir assister à ton mariage. Je suis sûr que l'invitation vient de toi et ce geste te ressemble. J'aurais voulu être présent, mais je ne peux retourner à la maison d'où j'ai été chassé. Je te souhaite beaucoup de bonheur. Je t'envoie les coquillages et la théière que tu aimais tant. Te souviens-tu de cette journée où nous avons eu tant de plaisir? J'aurais aimé te revoir avant ton mariage, mais c'est impossible.

Ton père qui t'aime,
David Spencer»

Rachel cligna résolument des yeux pour chasser ses larmes. Un désir ardent de voir son père envahit son cœur, une faim tenace et irrésistible. Il fallait qu'elle le voie et qu'elle reçoive sa bénédiction à l'aube de sa nouvelle vie. Une détermination soudaine prit possession de tout son être, balayant toutes les conventions et les objections.

Il faisait à présent presque sombre. Il restait environ une demi-heure avant l'arrivée des premiers invités. En passant par la colline, il n'y avait que quinze minutes de marche jusqu'au petit port. Rachel revêtit rapidement son nouvel imperméable et camoufla sa tête joyeuse sous un capuchon gris foncé. Elle ouvrit la porte de sa chambre et se glissa sans bruit au rez-de-chaussée. Mme Spencer et ses aides étaient toutes occupées à l'arrière de la maison. Un instant plus tard, Rachel était dans le jardin trempé de rosée. Elle passerait directement à travers champs. Personne ne la verrait.

Lorsqu'elle arriva au petit port, la noirceur était tombée. Au-dessus d'elle, les étoiles scintillaient dans la coupe cristalline du ciel. Le bruit des vagues ondulantes, qui léchaient la grève, brisait le silence. Une brise douce ronronnait autour des avant-toits de la petite maison grise où David Spencer était assis, seul, dans la pénombre, son violon sur les genoux. Il avait en vain essayé de jouer. Son cœur languissait de sa fille, oui, et de l'épouse de sa jeunesse, depuis longtemps une étrangère. Son amour de la mer était assouvi pour toujours; son amour pour sa femme et son enfant continuait à exiger son dû sous toute sa vieille colère et son entêtement.

La porte s'ouvrit soudain, et cette Rachel dont il était en train de rêver entra brusquement, laissant tomber son manteau et apparaissant dans sa splendeur juvénile et tous les atours d'une jeune mariée, si radieuse qu'elle illuminait presque la pénombre.

«Papa», s'écria-t-elle, et les bras avides de son père se refermèrent sur elle.

Dans la maison qu'elle venait de quitter, les invités commençaient à arriver. Il y avait de la joie, des rires et des salutations amicales. Le marié se présenta à son tour, jeune garçon mince et timide qui monta sur la pointe des pieds à la chambre d'ami, d'où il émergeait à présent pour arriver face à face avec Mme Spencer sur le palier.

«Je voudrais voir Rachel avant que nous descendions», expliqua-t-il en rougissant.

Mme Spencer déposa sur une table déjà chargée de cadeaux de mariage une pièce de lingerie, ouvrit la porte de la chambre de Rachel et l'appela. Pas de réponse; la pièce silencieuse était plongée dans l'ombre. Soudain alarmée, Isabella Spencer saisit la lampe sur la table du couloir et la leva. La petite chambre blanche était vide. Aucune future mariée rougissante et de blanc vêtue ne l'occupait. Mais la lettre de David Spencer reposait sur l'étagère. Isabella la prit et la lut.

«Rachel est partie», bafouilla-t-elle. Une intuition lui avait révélé où et pourquoi sa fille s'en était allée.

«Partie!» répéta Frank, devenant livide. Devant sa consternation, Mme Spencer retrouva ses esprits. Elle fit entendre un petit rire aigre.

«Oh! Ne prends pas cet air effrayé, Frank. Ce n'est pas pour te fuir. Chut, viens ici, ferme la porte. Personne ne doit savoir ceci. J'entends déjà les potins! Cette tête de linotte est allée au petit port voir son... son père. Je le sais. Cela lui ressemble tout à fait. Il lui a envoyé ces cadeaux, regarde, et cette lettre. Lis-la. Elle est allée essayer de le convaincre d'assister à son mariage. Cette idée l'obsédait. Mon Dieu, le pasteur est arrivé, et il est sept heures et demie. Elle va abîmer sa robe et ses souliers dans la poussière et la rosée. Et s'il fallait que quelqu'un l'ait vue! Est-il possible d'être aussi folle?»

Frank avait retrouvé son sang-froid. Il savait tout sur Rachel et son père. Elle lui avait raconté toute l'histoire.

«Je vais la chercher, dit-il gentiment. Donnez-moi mon chapeau et mon manteau. Je vais me faufiler par l'escalier arrière et me rendre au petit port.»

«Il faudra que tu sortes par la fenêtre du garde-manger, alors, dit fermement Mme Spencer, confondant, à sa façon, comédie et tragédie. La cuisine est bondée de femmes. Je ne veux pas qu'on apprenne cela ni qu'on en parle, si je peux l'éviter.»

Le marié, sachant, malgré son jeune âge, qu'il est préférable de céder aux femmes pour les petites choses, s'extirpa donc docilement par la fenêtre du garde-manger et se précipita à travers les bouleaux. Frémissante, Mme Spencer avait monté la garde jusqu'à ce qu'il eût disparu.

Ainsi, Rachel était allée voir son père! Rompant les amarres des ans, elle avait couru vers celui à qui elle ressemblait.

«Il ne sert pas à grand-chose de lutter contre la nature, j'imagine, songea mélancoliquement Isabella. Je m'avoue vaincue. Il doit avoir pensé à elle, après tout, quand il lui a envoyé la théière et la lettre. Et qu'est-ce qu'il veut dire quand il parle de "ce jour où nous avons eu tant de plaisir"? Eh bien, cela signifie simplement qu'elle est allée le voir un jour, je suppose, et ne m'en a rien dit.»

Mme Spencer ferma rageusement la fenêtre du garde-manger.

«Si elle revient avec Frank à temps pour que les commérages soient évités, je lui pardonnerai», déclara-t-elle en retournant vers la cuisine.

Rachel était assise sur les genoux de son père et ils étaient tous les deux enlacés lorsque Frank entra. Elle bondit sur ses pieds, rougit et leva un regard éploré, les yeux brillants et humides de larmes. Frank pensa qu'il ne l'avait jamais trouvée si charmante.

«Oh! Frank, est-il très tard? Oh! Es-tu fâché?» s'exclama-t-elle timidement.

«Non, non, ma chérie. Bien sûr que je ne suis pas fâché. Mais ne crois-tu pas qu'il serait mieux de revenir, à présent? Il est presque huit heures et tout le monde attend.»

«J'ai essayé de persuader papa de venir à notre mariage, continua Rachel. Aide-moi, Frank.»

«Vous devriez venir, monsieur, approuva Frank de tout son cœur. J'en serais tout aussi ravi que Rachel.»

David Spencer secoua la tête avec entêtement.

«Non, je ne peux pas entrer dans cette maison. J'en ai été chassé. Ne vous occupez pas de moi. J'ai été très heureux pendant cette demi-heure, avec ma petite fille. J'aimerais assister à son mariage, mais c'est impossible.»

«Oui, c'est possible, et cela se fera, décida Rachel. Tu assisteras à mon mariage. Frank, je vais me marier ici, dans la maison de mon père! C'est là qu'une fille doit se marier. Va le dire aux invités et amène-les ici.»

Frank parut décontenancé. David Spencer dit d'un air désapprobateur: «Fillette, tu ne penses pas que ce serait...»

«Pour mon mariage, c'est moi qui décide, interrompit Rachel avec une sorte de détermination tendre. Va, Frank. Je t'obéirai tout le reste de ma vie, mais il faut que tu fasses cela pour moi. Essaie de comprendre», ajouta-t-elle d'un air implorant.

Frank la rassura.

«Oh! Je comprends, dit-il. De plus, je t'approuve. Mais je pensais à ta mère. Elle ne viendra pas.»

«Alors dis-lui que si elle refuse de venir, je ne me marierai pas», rétorqua Rachel, trahissant un talent de manipulatrice insoupçonné. Elle savait que cet ultimatum obligerait Frank à déployer tous les efforts.

À son retour, ce dernier, à la stupéfaction de Mme Spencer, se dirigea carrément à la porte d'entrée. Elle se précipita vers lui et, à l'insu de tous, se hâta de le faire entrer dans la salle à manger.

«Où est Rachel? Pourquoi es-tu revenu par ici? Tout le monde t'a vu.»

«Cela ne change rien. De toute façon, il faudra les mettre au courant. Rachel a décidé que le mariage aurait lieu dans la maison de son père, ou qu'il n'aurait pas lieu du tout. Je suis venu vous en informer.»

Isabella devint cramoisie.

«C'est de la folie. Je me lave les mains de toute cette affaire. Faites à votre guise. Amène les invités, et le souper aussi, si tu es capable de le transporter.»

«Nous reviendrons tous ici pour le souper, dit Frank, feignant de ne pas avoir entendu le sarcasme. Venez, Mme Spencer, faisons contre mauvaise fortune bon cœur.»

«Est-ce que tu t'imagines que moi, je vais aller dans la maison de David Spencer?» s'insurgea-t-elle.

«Oh! Il le faut, Mme Spencer», s'écria le pauvre Frank, complètement désespéré. Il commençait à craindre de perdre sa femme sans espoir de retour dans le labyrinthe de cette triple obstination. «Rachel a dit qu'elle refuserait de se marier si vous ne veniez pas. Pensez à ce que les gens vont dire. Vous savez qu'elle va tenir parole.»

Isabella Spencer le savait. Des sentiments de colère et de révolte avaient beau agiter son âme, elle éprouvait en même temps le fort désir de ne pas aggraver encore le scandale. Puisqu'il n'y avait rien à faire, ce désir eut raison d'elle.

«J'irai, puisqu'il le faut, dit-elle d'un ton glacial. Il faut endurer le mal qu'on ne peut guérir. Va leur apprendre la nouvelle.»

Cinq minutes plus tard, les soixante invités traversaient les champs jusqu'au petit port, le pasteur et le marié ouvrant la marche. Ils étaient trop éberlués pour passer des commentaires sur cet événement hors du commun. Isabella marchait seule à la queue, ruminant sa colère. Arrivé à la maison, tout le monde se pressa dans la petite pièce et un silence solennel tomba sur l'assistance, uniquement brisé par le ronronnement du vent de la mer tout autour et le roucoulement des vagues sur la grève. David Spencer donna sa fille en mariage; mais quand la cérémonie fut terminée, Isabella fut la première à la prendre dans ses bras. Elle la serra et l'embrassa, des larmes coulant sur ses joues pâles. Toute sa rancune avait fondu dans une tendresse maternelle.

«Rachel, Rachel, mon enfant, j'espère que tu seras heureuse et je prie pour cela», dit-elle, en larmes.

Dans la vague d'amis venant offrir leurs vœux aux nouveaux mariés, Isabella fut refoulée dans un coin sombre derrière une pile de voiles et de cordages. Levant les yeux, elle se retrouva écrasée contre David Spencer. Pour la première fois depuis vingt ans, leurs yeux se rencontrèrent. Une émotion étrange envahit le cœur d'Isabella; elle sentit qu'elle tremblait.

«Isabella.» C'était la voix de son mari dans son oreille, une voix tendre et suppliante, la voix du jeune homme de son passé. «Est-il trop tard pour te demander de me pardonner? J'ai été fou et entêté, mais il ne s'est pas passé une heure sans que je pense à toi et à notre bébé et que je languisse de vous.»

Isabella Spencer avait détesté cet homme, mais sa haine

avait été une excroissance parasite sur une tige plus noble. Entendant les paroles de David, la haine disparut, révélant l'ancien amour, aussi vrai, fort et beau qu'avant.

«Oh... David... c'est moi qui avais tort», murmura-t-elle, la voix chevrotante.

Le reste de son discours se perdit sous les lèvres de son mari.

Quand le brouhaha des serrements de mains et des félicitations s'estompa, Isabella sortit la première. Elle avait presque l'air d'une jeune mariée, elle aussi, avec ses joues roses et ses yeux brillants.

«Retournons manger, à présent, et nous comporter en adultes, dit-elle d'une voix crispée. Rachel, ton père va venir. Il revient pour rester, ajouta-t-elle en jetant à la ronde un regard de défi. Venez, tout le monde.»

Ils rentrèrent en riant à travers les champs placides de l'automne, légèrement argentés à présent que la lune se levait sur les collines. Les nouveaux mariés fermaient la procession; ils étaient très heureux mais, tout compte fait, ils l'étaient moins que le couple de vieux mariés qui marchait en tête. La main d'Isabella était dans celle de son mari et ses larmes de bonheur l'empêchaient parfois de voir les collines éclairées par la lune.

«David, chuchota-t-elle pendant qu'il lui faisait traverser la barrière, comment peux-tu me pardonner?»

«Il n'y a rien à pardonner, répondit-il. Nous venons de nous marier. A-t-on déjà entendu le marié parler de pardon? À présent, tout recommence pour nous, ma chérie.»

4

Le bébé de Jane

Mlle Rosetta Ellis, les cheveux à l'avant enroulés dans des papillotes et les cheveux à l'arrière retenus sous un tablier à carreaux, se trouvait sous les sapins, dans la partie de la cour exposée au vent, en train de secouer les tapis de son salon quand M. Nathan Patterson arriva. Mlle Rosetta l'avait vu qui descendait la longue route de la colline, mais elle n'avait pas pensé qu'il viendrait à cette heure matinale. Elle ne s'était donc pas précipitée à l'intérieur, ce qu'elle faisait toujours quand ses cheveux étaient enroulés dans des papillotes; que le visiteur fût venu pour une question de vie ou de mort ne changeait rien: il devait attendre que Mlle Rosetta ait libéré sa chevelure. Tout le monde le savait à Avonlea, parce qu'à Avonlea, rien n'échappait à personne.

Pourtant, M. Patterson avait roulé si vite et de façon si inattendue dans l'allée que Mlle Rosetta n'avait pas eu le temps de se ruer à l'intérieur; alors, retirant vivement le tablier à carreaux, elle resta aussi digne que possible quand on a des papillotes sur la tête.

«Bonjour, Mlle Ellis», salua M. Patterson d'un ton si sombre que Mlle Rosetta sut instantanément qu'il était porteur de mauvaises nouvelles. Habituellement, le visage de M. Patterson était aussi épanoui et radieux qu'une pleine lune. Mais à présent, son expression était très mélancolique et sa voix, littéralement sépulcrale.

«Bonjour», répliqua Mlle Rosetta d'une voix crispée et joviale. Pour rien au monde elle ne se laisserait assombrir avant de savoir pourquoi M. Patterson était si mélancolique. «Il fait beau, aujourd'hui.»

«Très beau, acquiesça solennellement M. Patterson. J'arrive de chez les Wheeler, Mlle Ellis, et j'ai le regret de vous annoncer...»

«Charlotte est malade! s'écria vivement Mlle Rosetta. Charlotte a eu une autre crise cardiaque! Je le savais! Je m'y attendais! C'est normal qu'une femme qui bat la campagne comme elle le fait attrape une maladie de cœur! Je ne vais jamais plus loin que ma clôture mais cela ne m'empêche pas de la voir vadrouiller. Dieu sait qui s'occupe de sa maison. Je ne me fierais jamais à un valet de ferme comme elle le fait. Eh bien, c'est gentil de votre part, M. Patterson, d'avoir pris le temps de venir jusqu'ici m'apprendre que Charlotte est malade, mais je ne vois vraiment pas pourquoi vous vous êtes donné cette peine, non, je ne vois vraiment pas. Cela m'est égal que Charlotte soit malade ou non, et vous le savez mieux que quiconque, M. Patterson. Lorsque Charlotte est partie en hypocrite pour se marier avec ce vaurien de Jacob Wheeler...»

«Mme Wheeler se porte à merveille, interrompit désespérément M. Patterson. À merveille. En réalité, il n'y a rien qui cloche à son sujet. Je voulais seulement...»

«Alors qu'est-ce qui vous prend de venir ici prétendre le contraire et me faire à moitié mourir de peur? s'indigna Mlle Rosetta. Mon propre cœur n'est pas très fort, c'est de famille, et mon médecin m'a recommandé d'éviter tous les chocs et les sources d'agitation. Je ne veux pas m'agiter, M. Patterson. Je ne m'agiterais pas, même si Charlotte avait une autre attaque. Il ne vous sert à rien d'essayer de m'agiter, M. Patterson.»

«Quelle femme, grand Dieu! Je n'essaie pas d'agiter qui que ce soit! déclara M. Patterson, complètement exaspéré. Je suis simplement venu vous dire...»

«Me dire quoi? s'écria Mlle Rosetta. Combien de temps encore avez-vous l'intention de me faire languir, M. Patterson? Je ne doute pas que vous ayez beaucoup de temps à perdre, mais ce n'est pas mon cas.»

«... que votre sœur, Mme Wheeler, a reçu une lettre d'une de vos cousines de Charlottetown. Je crois qu'elle s'appelle Mme Roberts.»

«Jane Roberts, coupa Mlle Rosetta. Elle s'appelait Jane Ellis avant son mariage. Qu'est-ce qu'elle écrivait à Charlotte? Non pas que je veuille le savoir, bien entendu. Dieu sait que la correspondance de Charlotte ne m'intéresse aucunement. Mais si Jane avait quelque chose de spécial à écrire, c'est à moi qu'elle aurait dû s'adresser. Je suis l'aînée. Charlotte n'a pas à recevoir de lettre de Jane Roberts sans m'avoir consultée. Ces façons sournoises ne sont pas pour me surprendre. Elle s'est mariée de la même manière. Elle ne m'en a jamais parlé, et s'est contentée de partir avec ce bon à rien de Jacob Wheeler...»

«Mme Roberts est très malade. D'après ce que j'ai compris, poursuivit M. Patterson, noblement résolu à accomplir sa mission jusqu'au bout, elle est à l'agonie.»

«Jane malade! Jane en train de mourir! s'exclama Mlle Rosetta. Seigneur, elle était la fille la plus en santé que j'ai jamais connue! Mais il est vrai que je n'ai pas eu de ses nouvelles depuis son mariage, il y a quinze ans. Son mari devait être une brute, j'imagine. Il a dû la négliger et elle a dépéri lentement. Je ne fais pas confiance aux maris. Regardez Charlotte! Chacun sait de quelle façon Jacob Wheeler a abusé d'elle. C'est sûr qu'elle le méritait, mais...»

«Le mari de Mme Roberts est décédé, expliqua M. Patterson. D'après ce que j'ai compris, il est mort il y a deux mois. Elle a un bébé de six mois et elle a pensé que Mme Wheeler pourrait le recueillir en souvenir du bon vieux temps...»

«Est-ce Charlotte qui vous a demandé de m'en parler?» demanda avidement Mlle Rosetta.

«Non, elle m'a seulement appris ce qui était écrit dans la lettre. Elle n'a pas parlé de vous, mais j'ai pensé que vous devriez peut-être être mise au courant.»

«Je le savais, reprit Mlle Rosetta avec une amère assurance. J'aurais pu vous le dire moi-même. Charlotte ne m'aurait même pas informée que Jane était malade. Elle aurait eu peur que je veuille prendre le bébé, vu que Jane et moi étions des amies si intimes, autrefois. Et j'aimerais bien savoir qui en a davantage le droit que moi. Est-ce que je ne suis pas l'aînée? Et est-ce que je n'ai pas de l'expérience avec les enfants? Que Charlotte ne s'imagine pas qu'elle va mener les affaires de notre famille seulement parce qu'elle s'est mariée. Jacob Wheeler...»

«Je dois partir», déclara M. Patterson en prenant les rênes d'un air soulagé.

«Je vous suis très reconnaissante d'être venu m'apprendre la situation de Jane, poursuivit Mlle Rosetta, même si vous avez perdu un temps précieux avant de me le dire. Sans vous, je suppose que je n'en aurais jamais rien su. À présent, je vais partir pour la ville dès que je serai prête.»

«Il faudra vous hâter si vous voulez arriver avant Mme Wheeler, conseilla M. Patterson. Elle fait sa valise et part par le train du matin.»

«Je vais faire la mienne et prendre le train cet après-midi même, rétorqua triomphalement Mlle Rosetta. Je vais montrer à Charlotte que ce n'est pas elle qui mène les affaires des Ellis. Quand elle s'est mariée, elle est entrée dans la famille Wheeler. Qu'elle s'occupe de leurs affaires. Jacob Wheeler était l'homme le plus...»

Mais M. Patterson s'était éloigné. Il sentait qu'il avait accompli son devoir malgré l'adversité, et il ne voulait plus entendre un mot sur Jacob Wheeler.

Rosetta Ellis et Charlotte Wheeler ne s'étaient pas adressé la parole depuis dix ans. Auparavant, elles avaient été dévouées l'une à l'autre, vivant ensemble dans le petit cottage des Ellis sur la route de White Sands, comme elles l'avaient toujours fait après la mort de leurs parents. Les problèmes commencèrent lorsque Jacob Wheeler se mit à tourner autour de Charlotte, la plus jeune et la plus jolie des deux femmes qui n'étaient plus, ni l'une ni l'autre, ni très jeunes ni très jolies. Dès le début, Rosetta s'était violemment opposée à cette union. Il ne manquait pas de mauvaises langues pour insinuer que c'était parce que Jacob Wheeler n'avait pas jeté son dévolu sur la sœur qui convenait. Quoi qu'il en soit, Mlle Rosetta avait continué à mettre des bâtons dans les roues de Jacob Wheeler, rendant sa cour ardue et tumultueuse. À la fin, Charlotte s'en était allée calmement un bon matin et avait épousé Jacob Wheeler sans en informer Mlle Rosetta. Cette dernière ne le lui avait jamais pardonné, et Charlotte n'avait jamais oublié les paroles prononcées par Rosetta lorsque, avec Jacob, elle était retournée au cottage des Ellis. Depuis, les deux sœurs étaient des ennemies jurées; la seule différence était que Mlle Rosetta ne se gênait pas pour faire connaître ses griefs et en parlait sans arrêt tandis qu'on n'avait jamais entendu Charlotte prononcer le nom de sa sœur. Même le décès de Jacob Wheeler, survenu cinq ans après le mariage, n'avait pu les réconcilier.

Mlle Rosetta enleva ses papillotes, prépara sa valise et attrapa le train de l'après-midi pour Charlottetown. Pendant tout le trajet, elle resta assise, rigide, sur son siège, à tenir des dialogues imaginaires avec Charlotte. Pour sa part, son discours était à peu près celui-ci:

«Non, Charlotte Wheeler, tu n'auras pas le bébé de Jane, et tu t'es mis un doigt dans l'œil si c'est ce que tu as cru. Oh! Très bien, nous allons voir. Tu ne connais rien aux nourrissons, même si tu t'es mariée. Moi, si. Est-ce que je ne me suis pas occupée du bébé de William Ellis quand sa femme est morte? Et le petit ne s'est-il pas bien développé avec moi, n'est-il pas devenu fort et en santé? Oui, même toi, tu dois l'admettre, Charlotte Wheeler. Et tu as quand même la présomption de penser que tu devrais prendre le bébé de Jane! Oui, c'est de la présomption pure et simple, Charlotte Wheeler! Et quand William Ellis s'est remarié et qu'il a repris son enfant, est-ce que le petit ne s'est pas accroché à moi en pleurant comme si j'étais sa mère? Tu sais que c'est la vérité, Charlotte Wheeler. Je vais prendre et garder le bébé de Jane malgré toi, Charlotte Wheeler, et j'aimerais bien te voir essayer de m'en empêcher, toi qui es allée te marier sans même en informer ta propre sœur! Si je m'étais mariée de cette manière, Charlotte Wheeler, j'aurais honte de regarder qui que ce soit en face le reste de mes jours!»

Mlle Rosetta était si absorbée à faire ainsi la leçon à Charlotte et à planifier l'avenir du bébé de Jane que le voyage à Charlottetown ne lui parut pas aussi long et fastidieux qu'elle l'avait craint, vu sa hâte. Elle n'eut aucune peine à trouver son chemin jusqu'à la maison où vivait sa cousine. Là, consternée et réellement affligée, elle apprit que Mme Roberts avait succombé l'après-midi même à quatre heures.

«Elle semblait vouloir vraiment vivre jusqu'à ce qu'elle ait reçu des nouvelles de sa parenté à Avonlea, lui apprit la femme qui avait renseigné Mlle Rosetta. Elle leur avait écrit à propos de sa petite fille. C'était ma belle-sœur et elle a habité avec moi après la mort de son mari. J'ai fait tout ce que j'ai pu pour elle; mais j'ai moi-même une grosse famille et je ne vois pas comment je pourrais garder l'enfant. La pauvre Jane voulait tellement voir quelqu'un d'Avonlea, mais elle n'a pas pu tenir jusqu'au bout. Quelle femme patiente c'était et comme elle a souffert!»

«Je suis sa cousine, dit Mlle Rosetta en essuyant ses yeux, et je suis venue chercher le bébé. Je vais l'amener chez moi après les funérailles; si vous voulez bien, Mme Gordon, j'aimerais le voir tout de suite, pour qu'il s'habitue à moi. Pauvre Jane! J'aurais tellement voulu arriver à temps pour la voir, nous étions de si bonnes amies, autrefois. Nous étions beaucoup plus intimes qu'elle et Charlotte l'ont jamais été. Et Charlotte le sait, elle aussi!»

La vivacité avec laquelle Mlle Rosetta lança ces paroles dérouta quelque peu Mme Gordon qui ne pouvait comprendre pourquoi. Mais elle fit monter Mlle Rosetta à la chambre où dormait le bébé.

«Oh! Le cher petit ange», s'écria Mlle Rosetta, toute sa raideur et sa gaucherie de vieille fille tombant comme une vieille peau, et son instinct maternel inné et refoulé transformant et illuminant son visage. «Oh! L'adorable trésor!»

Le bébé était un amour, une petite beauté de six mois aux bouclettes dorées luisant sur sa tête délicate. Quand Mlle Rosetta se pencha sur lui, il ouvrit les yeux puis tendit ses menottes vers elle en faisant entendre un roucoulement de confiance.

«Oh! Comme tu es adorable! s'extasia Mlle Rosetta en prenant le poupon dans ses bras. Tu es à moi, ma chérie, et tu ne seras jamais, au grand jamais, à cette sournoise de Charlotte! Quel est son nom, Mme Gordon?»

«Elle n'en a pas encore, répondit cette dernière. J'imagine que vous devrez lui en donner un, Mlle Ellis.»

«Camilla Jane, décréta Mlle Rosetta après une légère hésitation. Jane en souvenir de sa mère, bien entendu, et Camilla parce que j'ai toujours considéré que c'était le plus joli prénom au monde. Il est évident que Charlotte lui donnerait un nom parfaitement païen. Elle serait bien capable d'appeler cette pauvre petite innocente Mehatable.»

Mlle Rosetta décida de rester à Charlottetown jusqu'aux funérailles. Cette nuit-là, elle se coucha avec le bébé dans les bras, écoutant avec joie la douce petite respiration. Elle ne dormit pas et ne souhaita pas dormir. Les pensées qu'elle avait, éveillée, étaient préférables à n'importe quel rêve du pays de Morphée. Qui plus est, elle leur ajoutait du piquant en proférant occasionnellement quelque phrase bien sentie destinée à Charlotte.

S'attendant à voir arriver sa sœur le lendemain matin, Mlle Rosetta se prépara à l'affrontement; mais celle-ci ne se montra pas. La nuit vint; toujours aucun signe de Charlotte. Un autre matin se leva et toujours rien. Mlle Rosetta était déconcertée. Que s'était-il passé? Mon Dieu, mon Dieu, Charlotte avait-elle eu une autre crise cardiaque en apprenant que Rosetta l'avait devancée à Charlottetown? C'était tout à fait probable. On ne savait jamais à quoi s'attendre de la part d'une femme ayant épousé Jacob Wheeler!

La vérité était que le matin même où Mlle Rosetta avait quitté Avonlea, le valet de ferme de Mme Jacob Wheeler s'était cassé la jambe et avait dû être transporté, par l'express, dans son village, sur un lit de plumes. Mme Wheeler n'avait donc pu partir de chez elle avant d'en avoir embauché un autre. C'est pourquoi ce n'est que le soir, après les funérailles, qu'elle gravit les marches de la maison des Gordon et croisa Mlle Rosetta qui en sortait avec, dans les bras, un gros paquet blanc.

Les deux femmes se mesurèrent du regard. Le visage de Mlle Rosetta avait une expression de triomphe, atténuée par le souvenir des funérailles qui avaient eu lieu l'après-midi même. Celui de Mme Wheeler était, à l'exception de ses yeux, inexpressif, comme d'habitude. Au contraire de la grande, blonde et grasse Mlle Rosetta, Mme Wheeler était petite, maigre et basanée, et elle avait un visage avide et soucieux.

«Comment va Jane?» s'enquit-elle abruptement, rompant, par ces paroles, un silence qui durait depuis dix ans.

«Jane est morte et enterrée, la pauvre, répondit calmement Mlle Rosetta. J'apporte son bébé, la petite Camilla Jane, à la maison.»

«Le bébé m'appartient, protesta fougueusement Mme Wheeler. Jane m'a écrit à son sujet. Jane avait l'intention de me confier sa fille. Je suis venue la chercher.»

«Eh bien, tu devras t'en retourner sans elle, répliqua Mlle Rosetta, que sa bonne fortune rendait sereine. L'enfant est à moi et va le rester. Tu peux te faire à cette idée, Charlotte Wheeler. Il serait de toute façon inconvenant de confier un bébé à une femme qui s'est enfuie pour se marier. Jacob Wheeler...»

Mais Mme Wheeler s'était ruée dans la maison. Mlle Rosetta grimpa posément dans la voiture et se rendit à la gare. Elle refrénait difficilement son triomphe; elle ressentait en outre une étrange satisfaction: Charlotte lui avait finalement adressé la parole. Mlle Rosetta ne voulait pas prêter attention à cette satisfaction, ni même la reconnaître, pourtant, elle était là.

Mlle Rosetta et Camilla Jane rentrèrent saines et sauves à Avonlea et, dix heures plus tard, tout le monde au village était au courant de l'histoire et toutes les femmes pouvant se tenir debout étaient allées au cottage des Ellis pour voir le bébé. Mme Wheeler arriva vingt-quatre heures plus tard et se rendit silencieusement à sa ferme. Lorsque, voyant sa déception, ses voisins d'Avonlea sympathisèrent avec elle, elle ne répondit rien mais eut l'air encore plus farouchement déterminée. Aussi, une semaine plus tard, M. William J. Blair, qui tenait le magasin général de Carmody, avait-il une histoire saugrenue à raconter. Mme Wheeler s'était rendue à sa boutique et avait acheté de la flanelle fine, de la mousseline et de la dentelle. Qu'est-ce que Mme Wheeler pouvait bien vouloir faire de ce tissu? M. William J. Blair n'arrivait pas à le comprendre et cela le préoccupait. M. Blair était si habitué à savoir pourquoi les gens achetaient les choses qu'un tel mystère n'était pas sans le bouleverser.

Prendre soin de la petite Camilla Jane combla Mlle Rosetta de bonheur pendant un mois; elle était en réalité si heureuse qu'elle avait pratiquement cessé de fulminer contre Charlotte. Sa conversation, plutôt que de viser continuellement Jacob Wheeler, portait désormais sur Camilla Jane, ce que les gens considérèrent comme une nette amélioration.

Un après-midi, Mlle Rosetta, laissant Camilla Jane pelotonnée dans son berceau dans la cuisine, s'était faufilée au fond de son jardin cueillir des baies. Un boqueteau de cerisiers lui cachait la vue de la maison, mais elle avait laissé la fenêtre de la cuisine ouverte afin d'entendre le bébé s'il se réveillait et se mettait à pleurer. Mlle Rosetta fredonnait joyeusement tout en cueillant les petits fruits. Pour la première fois depuis que Charlotte avait épousé Jacob Wheeler, Mlle Rosetta se sentait réellement heureuse, si heureuse qu'il n'y avait plus de place dans son cœur pour l'amertume. Elle imaginait les années à venir et voyait Camilla Jane devenir une jeune fille, charmante et jolie.

«Elle sera une beauté, songeait Mlle Rosetta avec complaisance. Jane était une belle fille. Je m'organiserai pour qu'elle soit toujours aussi élégante que possible, et je vais me procurer un orgue pour elle, et lui faire suivre des cours de peinture et de musique. Et il y aura des fêtes! Je vais donner une grande réception pour ses dix-huit ans, et elle aura la plus jolie toilette imaginable. Seigneur, j'ai tellement hâte qu'elle ait grandi, même si elle est à présent si mignonne qu'on voudrait la voir rester pour toujours un bébé.»

Lorsque Mlle Rosetta retourna à la cuisine, son regard tomba sur un berceau vide. Camilla Jane n'était plus là! Mlle Rosetta se mit à hurler. Elle comprit au premier coup d'œil ce qui s'était passé. Les bébés de six mois ne sortent pas tout seuls de leur berceau et ne disparaissent pas sans aide à travers des portes fermées.

«Charlotte est venue, bredouilla Mlle Rosetta d'une voix étranglée. Charlotte a kidnappé Camilla Jane! J'aurais dû m'y attendre. J'aurais dû le prévoir quand on m'a raconté qu'elle avait acheté de la mousseline et de la flanelle. Toujours aussi hypocrite! Mais je vais y aller! On va voir ce qu'on va voir! Elle va s'apercevoir que c'est avec Rosetta Ellis qu'elle doit traiter, pas avec un Wheeler!»

Hors d'elle et oubliant complètement qu'elle avait les cheveux enroulés dans des papillotes, Mlle Rosetta grimpa la colline au pas de course et se hâta sur le chemin de la grève jusqu'à la ferme Wheeler où elle n'avait jamais mis les pieds de sa vie. Un vent qui soufflait de la plage plissait la surface de la baie. De duveteux nuages faisaient passer des ombres sur l'eau bleue, assombrissant sa couleur çà et là. La petite maison grise, posée si près des vagues que, les jours de tempête, le seuil en était éclaboussé, semblait déserte. Mlle Rosetta frappa à la porte. Comme il n'y eut pas de résultat, elle fit le tour de la maison jusqu'à la porte de derrière et frappa. Aucune réponse. Mlle Rosetta tourna la poignée. La porte était verrouillée.

«Elle se sent coupable, persifla Mlle Rosetta. Eh bien, je vais rester ici et attendre de voir cette Charlotte perfide, même si je dois camper toute la nuit dans la cour.»

Mlle Rosetta était tout à fait capable de le faire, mais ce ne fut pas nécessaire; allant directement à la fenêtre de la cuisine et jetant un coup d'œil dans la pièce, elle sentit son cœur se gonfler de rage en surprenant Charlotte assise calmement à la table, Camilla Jane sur les genoux. Auprès d'elle, il y avait un berceau orné de volants et de mousseline, et sur une chaise étaient posés les vêtements dont Mlle Rosetta avait vêtu le bébé. Ce dernier portait à présent de nouveaux habits et paraissait tout à fait à l'aise avec sa nouvelle propriétaire. Il riait, couinait et lui adressait de petits gestes de ses mains creusées de fossettes.

«Charlotte Wheeler, cria Mlle Rosetta en cognant violemment au carreau de la fenêtre. Je suis venue chercher l'enfant. Apporte-le-moi immédiatement, immédiatement, je te dis! Comment as-tu osé venir chez moi voler un bébé? Tu ne vaux pas plus qu'un vulgaire cambrioleur! Rends-moi Camilla Jane, je te dis!»

Charlotte s'approcha de la fenêtre le bébé dans les bras et une lueur de triomphe scintillant dans ses yeux.

«Il n'y a pas de Camilla Jane ici, dit-elle. Voici Barbara Jane. Elle est à moi.»

Sur ces mots, Mme Wheeler baissa le store.

Mlle Rosetta fut obligée de repartir. Il n'y avait rien d'autre à faire. En chemin, elle rencontra M. Patterson et lui raconta ses déboires. Le soir même, tout Avonlea était au courant, et cela fit son effet car il y avait longtemps qu'on n'avait eu un potin aussi savoureux à se mettre sous la dent.

La présence de Barbara Jane combla Mme Wheeler pendant six semaines durant lesquelles Mlle Rosetta eut le cœur brisé de solitude et d'ennui et médita des complots futiles pour retrouver le bébé. Il était inutile de songer à le kidnapper à son tour, sinon elle l'aurait tenté. Le valet de ferme affirmait que Mme Wheeler ne le quittait pas des yeux, ni de jour ni de nuit. Elle l'amenait même avec elle quand elle allait traire les vaches.

«Mais mon tour viendra, prédisait sombrement Mlle Rosetta. Camilla Jane est à moi, et même si on l'appelait Barbara Jane pendant un siècle, cela n'y changerait rien. Barbara, vraiment! Pourquoi ne pas l'avoir appelée Mathusalem tout simplement!»

Un après-midi d'octobre, alors que Mlle Rosetta était à cueillir des pommes en songeant mélancoliquement à sa Camilla Jane perdue, une femme dévala la colline et, hors d'haleine, se précipita dans la cour. Mlle Rosetta poussa un cri de stupéfaction et laissa tomber son panier de pommes. Quelle chose absolument incroyable! C'était Charlotte, Charlotte qui n'avait jamais remis les pieds au cottage des Ellis depuis son mariage dix ans auparavant, une Charlotte échevelée, au regard fou, à la mine défaite, se tordant les mains en sanglotant.

Mlle Rosetta alla à sa rencontre.

«Tu as ébouillanté Camilla Jane! s'exclama-t-elle. Je le savais, je m'y attendais!»

«Oh! Pour l'amour de Dieu, viens vite, Rosetta! bafouilla Charlotte. Barbara Jane a des convulsions et je ne sais que faire. Mon valet est allé chercher le docteur. Comme tu es plus près, je suis venue te chercher. Jenny White était là quand les convulsions ont commencé, alors je l'ai laissée avec le bébé et j'ai couru. Oh! Rosetta, viens, viens vite, s'il te reste quelque sentiment humain! Tu sais ce qu'il faut faire pour les convulsions, tu as sauvé le bébé des Ellis quand il en a eu. Oh! Viens sauver Barbara Jane!»

«Tu veux dire Camilla Jane, je présume?» corrigea fermement Mlle Rosetta malgré son agitation.

L'espace d'une seconde, Charlotte Wheeler hésita. Puis, elle dit d'une voix farouche: «Oui, oui, Camilla Jane, le nom que tu veux! Mais viens!»

Mlle Rosetta y alla, et ce n'était pas trop tôt. Le docteur vivait à huit milles, et le bébé était vraiment très mal en point. Aidées par Jenny White, les deux femmes le soignèrent pendant des heures. Elles ne prirent conscience de la situation que le soir venu, une fois que le bébé fut profondément endormi et le médecin parti, après avoir déclaré à Mlle Rosetta qu'elle avait sauvé la vie de l'enfant.

«Eh bien, Charlotte Wheeler, soupira Mlle Rosetta en se laissant tomber dans un fauteuil, épuisée. J'imagine que maintenant, tu vas admettre que tu n'es pas la personne la plus qualifiée pour t'occuper d'un bébé, même si pour cela, tu dois le kidnapper. J'aurais cru que tu aurais des remords de conscience, que si une femme ayant épousé Jacob Wheeler de cette façon sournoise avait un...»

«Je... je voulais la petite, sanglota frénétiquement Charlotte. Je me sentais si seule ici. Je ne croyais pas que c'était mal de la prendre, puisque Jane me l'avait confiée dans sa lettre. Mais tu lui as sauvé la vie, Rosetta, et tu... tu peux la reprendre même si ça me fend le cœur de renoncer à elle. Mais, oh! Rosetta, me permettras-tu de venir la voir quelques fois? Je l'aime tant et je ne peux supporter l'idée de m'en séparer complètement.»

«Charlotte, répondit Mlle Rosetta d'un ton ferme, la chose la plus intelligente que tu puisses faire est de revenir avec le bébé. Tu te fais mourir à essayer de t'occuper toute seule de cette ferme avec la dette que Jacob Wheeler t'a laissée sur les épaules. Vends-la et reviens vivre à la maison. Ainsi, le bébé sera à nous deux.»

«Oh! Rosetta, j'aimerais tellement le faire, bredouilla Charlotte. Je... je voulais tant me réconcilier avec toi. Mais je pensais que tu étais si dure et amère que jamais tu n'accepterais.»

«J'ai peut-être trop parlé, concéda Mlle Rosetta, mais tu devrais me connaître suffisamment pour savoir que mes paroles dépassaient ma pensée. C'était le fait que tu ne répondais jamais rien, peu importe ce que je disais, qui me rendait si furieuse. Oublions le passé et reviens à la maison, Charlotte.»

«C'est d'accord, dit résolument Charlotte en séchant ses larmes. Je suis fatiguée de vivre ici et d'essayer de m'entendre avec les employés. Je serai vraiment contente de retourner chez nous, Rosetta, et c'est la vérité. J'ai eu assez de misère comme ça. Je suppose que tu vas dire que j'ai mérité mon sort; mais j'aimais Jacob, et...»

«Bien sûr, bien sûr. Pourquoi ne l'aurais-tu pas aimé? répondit vivement Mlle Rosetta. Je suis convaincue que

Jacob Wheeler était un chic type, même s'il était un peu mou. Je voudrais bien entendre quelqu'un oser dire un mot contre lui en ma présence. Regarde cette adorable enfant, Charlotte. N'est-elle pas mignonne? Je suis absolument ravie que tu reviennes à la maison, Charlotte. Je n'ai jamais été capable de réussir mes marinades à la moutarde depuis ton départ, et tu les fais si bien! Nous allons vivre une existence vraiment douillette, toi, moi et la petite Camilla Barbara Jane.»

5

L'enfant de rêve

Le cœur d'un homme — eh! celui d'une femme aussi! — devrait être léger au printemps. L'esprit de la résurrection est présent, incitant le monde à émerger de sa tombe hivernale, frappant de ses doigts radieux aux portes de son tombeau. Il remue dans les cœurs humains et les rend joyeux de cette joie primitive qu'ils éprouvaient dans l'enfance. Il ranime les âmes et les conduit, si elles le veulent, si près de Dieu qu'elles peuvent échanger une poignée de mains avec Lui. C'est un temps d'émerveillement, de renaissance et d'une grande frénésie, intérieure et extérieure, comme si un ange-lot applaudissait doucement à l'allégresse de la création. C'est du moins ainsi que cela devrait se passer. Je l'avais toujours vécu ainsi jusqu'à ce printemps où, pour la première fois, l'enfant de rêve entra dans nos vies.

Cette année-là, je détestai le printemps, moi qui l'avais toujours tant aimé, tant dans l'enfance qu'à l'âge adulte. Tout le bonheur qui avait toujours été le mien, et c'était un grand bonheur, s'épanouissait au printemps. C'était au printemps que Josephine et moi étions devenus amoureux ou, du moins, que nous avions pleinement pris conscience de notre amour. Je pense que nous avions dû nous aimer toute notre vie et que chaque nouveau printemps apportait un mot de plus dans la révélation de cet amour. Nous ne l'avions compris qu'une fois toute la phrase écrite; cela s'était produit lors du plus beau printemps de tous.

Quelle époque magnifique! Et comme elle était belle! Je suppose que c'est ce que tout homme épris pense de sa bien-aimée; sinon, il serait un piètre amant. Mais ce n'était pas seulement mes yeux amoureux qui la rendaient si attirante et si charmante. Elle était svelte comme un roseau et avait la grâce d'une jeune biche. Sa chevelure sombre et vaporeuse encadrait son joli visage comme un halo lumineux, et ses yeux étaient bleus comme un ciel sans nuages par un belle journée de juin. Elle avait de longs cils noirs et une petite bouche vermeille qui tremblait quand elle était contente ou quand elle était triste, ou quand elle m'avouait son amour. Ces moments-là, je n'avais rien d'autre à faire que de l'embrasser.

Nous nous mariâmes le printemps suivant, et je l'amenai dans ma vieille maison grise sur la vieille grève grise du port. Les gens d'Avonlea prétendaient que c'était un endroit trop solitaire pour une jeune mariée. Ils avaient tort. Josephine y était très heureuse, même pendant mes absences. Elle aimait le grand port tumultueux et le vaste océan brumeux qui s'étalait au-delà; elle aimait les marées qui ne manquaient jamais leur rendez-vous vieux comme le monde avec la grève, elle aimait les mouettes, et le roucoulement des vagues, l'appel des vents dans les sapinières, à l'heure du midi et plus tard; elle aimait les levers et les couchers de soleil, et les nuits claires et calmes quand les étoiles avaient l'air d'être tombées dans l'eau et d'être un peu étourdies après cette chute. Elle aimait ces choses, autant que moi. Non, jamais elle ne s'ennuyait.

Le troisième printemps vint, et notre fils naquit. Nous pensions avoir été heureux avant; à présent, nous savions qu'il ne s'agissait que d'un agréable rêve de bonheur et que nous venions de nous éveiller à son exquise réalité. Nous avions cru que notre amour réciproque était, en soi, parfait et complet. Mais quand je regardai le visage de ma femme, pâle et noyé après la souffrance et l'angoisse qu'elle venait de subir, et que je plongeai mon regard dans ses yeux d'un bleu profond, humides de larmes mais reflétant en même temps l'éclat et le bonheur de la maternité, je m'aperçus que c'était à ce moment seulement, par la naissance de notre fils, que nous avions concrétisé pleinement notre amour. Et je fus bouleversé par la joie et la fierté d'être père.

«Toutes mes pensées sont des poèmes depuis la naissance de notre bébé», déclara un jour ma femme, d'un air extasié.

Notre fils vécut vingt mois. C'était un gamin robuste et si plein de vie, de rire et d'espièglerie que, lorsqu'il mourut un jour, après une maladie qui dura une heure, sa mort me parut tout à fait absurde et j'en aurais ri si l'évidence n'avait pas transpercé mon âme comme un glaive brûlant et fulgurant. Je pense avoir souffert de la mort de mon petit garçon aussi profondément et sincèrement que c'est possible pour un homme. Mais le cœur d'un père n'est pas celui d'une mère. Le temps n'apporta aucun réconfort à Josephine; elle se mit à dépérir; son visage perdit son ovale charmant et sa bouche vermeille devint exsangue et tombante.

J'espérais que le printemps accomplirait son miracle sur elle. Quand les bourgeons gonflèrent et que le soleil redonna à la terre sa couleur verte, quand les goélands revinrent vers le port tout gris dont la grisaille même se mordora et s'atténua, je crus que je reverrais son sourire. Mais avec le printemps arriva l'enfant de rêve et avec lui, la peur qui allait être ma compagne partout, de l'aurore au couchant.

Une nuit, je m'éveillai et m'aperçus que j'étais seul. Je tendis l'oreille pour entendre ma femme bouger dans la maison. Je n'entendis rien d'autre que le léger bruit des vagues sur la grève et la plainte grave de l'océan, au loin. Je me levai et la cherchai dans la maison. Elle n'y était pas. Ne sachant où la trouver, je me mis à marcher sur la plage. La lune éclairait faiblement la nuit. Le port avait un aspect fantomatique et la nuit était aussi immobile, froide et calme que le visage d'un mort. J'aperçus finalement ma femme qui arrivait en sens inverse. En la voyant, je mesurai à quel point ma frayeur avait été grande.

Comme elle s'approchait, je vis qu'elle avait pleuré; son visage était maculé de larmes et ses cheveux sombres flottaient sur ses épaules en petites boucles soyeuses comme celles d'un enfant. Elle paraissait très lasse et elle tordait occasionnellement ses petites mains. Elle ne manifesta aucune surprise en me voyant et tendit simplement ses mains comme si elle était contente de me voir.

«Je l'ai suivi, mais je n'ai pu le rattraper, m'expliqua-t-elle en sanglotant. J'ai fait de mon mieux, je me suis hâtée tant que j'ai pu mais il était toujours légèrement en avance. Ensuite, je l'ai perdu... alors je suis revenue. Mais j'ai fait de mon mieux, c'est vrai. Et oh! comme je suis fatiguée!»

«Josie, ma chérie, de quoi parles-tu? Où es-tu allée? lui demandai-je en l'attirant contre moi. Pourquoi es-tu partie comme ça, toute seule dans la nuit?»

Elle me regarda d'un air étonné.

«Comment aurais-je pu m'en empêcher, David? Il m'appelait. Il fallait que j'y aille.»

«Qui t'appelait?»

«L'enfant, chuchota-t-elle. Notre enfant, David, notre beau petit garçon. Je me suis réveillée dans le noir et je l'ai entendu qui m'appelait sur la grève. Il gémissait si tristement, David, comme s'il avait froid, était seul et voulait sa maman. Je me suis hâtée d'aller le rejoindre, mais je n'ai pas pu le trouver. Je pouvais seulement entendre son appel, alors je l'ai suivi sur la grève, très loin. Oh! J'ai essayé si fort de le rattraper, mais je n'ai pas été capable. À un moment, j'ai vu une petite main blanche qui me faisait signe au loin, dans le clair de lune. Mais je ne pouvais pas encore aller assez vite. Puis le cri s'est tu et je me suis retrouvée toute seule sur cette grève terrible, froide et grise. J'étais si lasse que j'ai décidé de rentrer. Mais j'aurais tellement voulu le retrouver. Peut-être qu'il ignore que j'ai essayé. Il pense peut-être que sa maman n'a pas entendu son appel. Oh! Je ne voudrais pas qu'il le pense!»

«Tu as fait un cauchemar, ma chérie», dis-je. Je tentai de parler d'une voix naturelle; mais c'est difficile pour un homme de parler naturellement quand il sent une terreur mortelle lui glacer le sang.

«Ce n'était pas un rêve, protesta-t-elle. Je t'assure que je l'ai entendu m'appeler, moi, sa mère. Que pouvais-je faire d'autre qu'aller vers lui? Tu ne peux pas comprendre, tu es seulement son père. Ce n'est pas toi qui as payé de ta douleur le prix de sa chère petite vie. Ce n'est pas toi qu'il aurait appelé; il voulait sa mère.»

Je la ramenai à la maison et la mis au lit où elle se coucha docilement et s'endormit bientôt d'épuisement. Mais il n'y eut plus de sommeil pour moi, cette nuit-là. Je montai la garde, épouvanté. Lorsque j'avais épousé Josephine, un de ces parents éloignés que le mariage d'un homme rend fébrile me confia que sa grand-mère avait été folle pendant toute la dernière partie de sa vie. Elle ne s'était pas remise de la mort d'un enfant bien-aimé et avait fini par perdre la raison. Les premiers symptômes de sa démence avaient été que, la nuit, elle prétendait entendre la voix d'un enfant de rêve, vêtu de blanc, et voir une petite main pâle lui faire signe au loin. L'histoire m'avait alors fait sourire. Qu'est-ce que cette vieille disparue mélancolique avait à voir avec le printemps, avec l'amour et Josephine? Mais cela me revenait à présent et s'associait avec ma peur. Était-ce là le sort qui guettait ma chère femme? C'était trop horrible pour être vrai. Elle était si jeune, si jolie, si douce, ma femme-enfant. Cela n'avait été qu'un mauvais rêve suivi d'un réveil terrifiant et déroutant. Ainsi tentais-je de me rassurer.

Lorsqu'elle se réveilla au matin, elle ne parla pas de ce qui s'était passé et, pour ma part, je n'osai aborder le sujet. Elle sembla plus joyeuse ce jour-là et s'occupa vivement et adroitement des tâches ménagères. Mes craintes s'estompèrent. J'étais à présent sûr qu'elle avait simplement rêvé. Et cet espoir se confirma après deux nuits tranquilles. Puis, la troisième nuit, l'enfant de rêve, l'appela de nouveau. J'émergeai d'un sommeil agité pour la trouver en train de s'habiller dans une hâte fébrile.

«Il m'appelle, cria-t-elle. Oh! Tu ne l'entends donc pas?

Écoute... écoute, le petit cri plaintif. Oui, oui, mon trésor, maman s'en vient. Attends-moi. Maman va retrouver son beau garçon.»

Je pris sa main et la laissai me conduire où elle le voulait. Main dans la main, nous suivîmes l'enfant de rêve sur la grève; des nuages voilaient la lune, conférant à la nuit une allure spectrale. Elle disait entendre toujours la faible plainte devant elle. Elle demandait à l'enfant de rêve de l'attendre; elle pleurait et suppliait et lui parlait avec des mots tendres et maternels. Mais elle cessa finalement d'entendre l'appel; et alors, sanglotante, épuisée, elle me laissa la ramener à la maison.

Ce printemps si beau se teinta d'horreur. Les jours s'étaient allongés; c'était de nouveau le temps des ciels bleus et ensoleillés, des averses soudaines accueillies avec reconnaissance par la terre qui attendait d'être ensemencée; le temps des jonquilles, des iris et des violettes, des vergers métamorphosés en paysages enchantés roses et blancs; le temps du murmure des ruisseaux et des chants mélodieux des oiseaux. Oui, les joies délicieuses du printemps étaient revenues sur la terre. Presque chaque nuit de cette époque bénie, l'enfant de rêve appela sa mère et nous errâmes sur la grève, à sa recherche.

Pendant la journée, Josie redevenait elle-même, mais dès que la nuit tombait, elle était agitée et troublée jusqu'à ce qu'elle entende l'appel. Il fallait alors qu'elle le suive, même dans la tempête et les ténèbres. Car c'était alors, disait-elle, que le cri était le plus fort et le plus proche, comme si le tumulte terrifiait son bel enfant. Quelles promenades terribles et folles nous fîmes, elle qui allait de l'avant, avide de rattraper l'enfant de rêve, et moi, le cœur serré, qui la suivais, la guidais et la protégeais du mieux que je le pouvais, puis qui la ramenais gentiment à la maison, le cœur brisé de n'avoir pu rejoindre l'enfant.

Je supportai mon mal en secret, déterminé à éviter tout commérage sur l'état de ma femme. Comme nous n'avions pas de proches parents, personne n'avait le droit de partager le problème et je subis ce drame dans la solitude, avec fierté.

Je pensai cependant que je pourrais demander un avis médical et me confiai à notre vieux médecin. Après avoir entendu mon récit, il me regarda avec gravité. Son expression ne me plut pas, ni ses commentaires laconiques. Il déclara que l'aide humaine pourrait être bénéfique à Josie et qu'il fallait la ménager dans la mesure du possible, veiller sur elle et la protéger. Il n'avait pas besoin de me le dire.

Le printemps s'acheva et, à l'été, l'horreur s'intensifia encore. Je savais que des personnes soupçonneuses se chuchotaient des choses. Nous avions été aperçus lors de nos randonnées nocturnes. Les hommes et les femmes commencèrent à nous regarder avec pitié lorsque nous allions au village.

Par un après-midi morne et somnolent, l'enfant de rêve appela; je compris que la fin était proche; car cela avait été le cas pour la grand-mère, soixante ans auparavant, lorsque l'enfant de rêve s'était mis à apparaître durant la journée. Le docteur eut l'air encore plus préoccupé lorsque je lui confiai la chose et il déclara que le moment était venu de recevoir de l'aide. Je ne pouvais assurer la surveillance nuit et jour. Si je ne me faisais pas aider, je craquerais. Je ne croyais pas cela possible. L'amour est plus fort que tout. Et j'étais résolu à une chose: on ne m'enlèverait pas ma femme. Aucune contrainte plus sévère que la main d'un époux aimant ne serait jamais imposée à ma bien-aimée si jolie et si pitoyable. Je ne lui parlais jamais de l'enfant de rêve. Le médecin m'avait conseillé de n'en rien faire. Cela ne servivait qu'à rendre l'illusion plus forte. Lorsqu'il fit allusion à l'asile, je me contentai de lui jeter un regard; s'il s'était agi d'un autre homme, je n'aurais pas mâché mes mots. Il n'en reparla jamais plus.

Un soir du mois d'août, le soleil se coucha mornement après une journée de chaleur écrasante; il n'y avait pas un souffle de vent. La mer n'était pas bleue comme elle devrait l'être, mais toute rose, comme si on l'avait peinte d'une couleur livide. Je flânai sur la grève derrière la maison jusqu'à

la tombée de la nuit. Les cloches du soir sonnaient faiblement et tristement d'une église de l'autre côté du port. Derrière moi, dans la cuisine, ma femme chantonnait. À
présent, il lui arrivait parfois d'être de très bonne humeur et
elle fredonnait alors de vieilles mélodies de son enfance.
Pourtant, son chant recelait quelque chose d'étrange, on
aurait dit qu'un gémissement irréel s'y exprimait. Rien
n'était plus triste que cette mélopée.

Quand je revins à la maison, la pluie commençait à
tomber; mais il n'y avait dans l'air ni brise ni son, seulement
cette immobilité navrante, comme si la terre retenait son
souffle en attendant la catastrophe.

Josie était debout près de la fenêtre, aux aguets. Je tentai
de la persuader d'aller se coucher, mais elle secoua la tête.

«Je pourrais m'endormir et ne pas l'entendre, s'il m'appelait, expliqua-t-elle. J'ai toujours peur d'aller me coucher à
présent, et qu'il appelle en vain.»

Sachant qu'il était inutile d'insister, je m'assis à la table
et essayai de lire. Trois heures passèrent. Lorsque minuit
sonna à l'horloge, elle se prépara à partir, une lueur farouche
dans ses yeux bleus noyés.

«Il appelle, cria-t-elle, il appelle dans la tempête. Oui,
oui, mon amour, je viens.»

Elle ouvrit la porte et se précipita dans le sentier qui
menait à la grève. Je saisis une lanterne sur le mur, l'allumai
et partis à sa suite. Je n'étais jamais sorti par une nuit aussi
noire, une nuit qui ressemblait à la mort. La pluie tombait
dru. Je rattrapai Josie, pris sa main et l'accompagnai en
trébuchant, car elle avait la démarche rapide et inlassable
d'une femme en proie au trouble le plus profond. Nous nous
mouvions dans le petit cercle de lumière instable projeté par
la lanterne. Tout autour et au-dessus de nous, les ténèbres
étaient horribles et silencieuses, tenues cependant à distance
par la lueur amicale de la lanterne.

«Si seulement je pouvais le rejoindre une fois, geignit
Josie. Si je pouvais seulement l'embrasser une fois, et le serrer
contre mon cœur souffrant. Cette douleur qui ne me laisse

jamais disparaîtrait. Oh! Mon beau petit garçon, attends maman! Je viens. Écoute, David, il pleure, il pleure si tristement! Écoute! Tu ne l'entends pas?»

Mais je l'entendais! Clair et distinct, venant de l'ombre mortelle, j'entendais un faible gémissement. Qu'est-ce que c'était? Étais-je en train de perdre l'esprit, moi aussi, ou y avait-il vraiment quelque chose là-bas, quelque chose qui pleurait et se lamentait, qui demandait un amour humain en ne cessant de s'éloigner? Je ne suis pas un homme superstitieux, mais cette longue épreuve m'avait mis les nerfs à vif et j'étais peut-être plus vulnérable que je le croyais. La terreur s'empara de moi, une terreur innommable. Je tremblais de tous mes membres, mon front devint moite de sueur et je n'avais plus qu'un désir: faire volte-face et m'enfuir n'importe où, loin de ce cri inhumain. Mais la main glacée de Josephine agrippa la mienne et m'entraîna. Le cri étrange résonnait toujours à mon oreille. Il ne s'éloignait pas, pourtant, mais était plus fort et plus clair; c'était un gémissement, mais un gémissement sonore et insistant; il s'approchait, toujours plus près; il venait de l'obscurité, juste devant nous.

Nous parvînmes alors jusqu'à lui; un petit doris avait échoué parmi les galets et le ressac l'y maintenait. Un enfant se trouvait dedans, un petit garçon d'environ deux ans, accroupi au fond de la barque, de l'eau jusqu'à la taille, ses grands yeux bleus agrandis de terreur, son visage livide et barbouillé de larmes. Il gémit de nouveau en nous voyant et tendit vers nous ses petites mains. Le sentiment d'horreur que j'éprouvais me quitta comme un vieux vêtement. Cet enfant était vivant. J'ignorais comment, quand et pourquoi il était arrivé là et, dans mon état d'esprit, je ne me posai aucune question. Ce n'était pas le cri d'un fantôme que j'avais entendu et cela me suffisait.

«Oh! Le pauvre chéri!» s'écria ma femme.

Elle grimpa dans la barque et prit le bébé dans ses bras. Ses longues boucles blondes tombèrent sur son épaule; elle posa sa joue contre celle de l'enfant et l'enveloppa dans son châle.

«Laisse-moi le porter, chérie, dis-je. Il est trempé et beaucoup trop lourd pour toi.»

«Non, non, je dois le porter. Mes bras étaient vides et ils sont comblés, à présent. Oh! David, ma douleur a disparu. Il est venu vers moi pour remplacer celui que j'ai perdu. C'est Dieu qui me l'a envoyé de la mer. Il est trempé, il a froid et il est épuisé. Chut, mon trésor, nous arrivons à la maison.»

Je la suivis en silence. Le vent se levait en bourrasques soudaines et violentes; la tempête était proche, mais nous fûmes à l'abri avant qu'elle n'éclate. Au moment où nous fermions la porte derrière nous, la tempête se rua contre la maison avec le rugissement d'une bête égarée. Je remerciai Dieu de ne pas être dehors, à la recherche de l'enfant de rêve.

«Tu es trempée, Josie, dis-je. Va immédiatement mettre des vêtements secs.»

«Je dois d'abord m'occuper de l'enfant, répondit-elle fermement. Vois comme il est transi et à bout de forces, le pauvre trésor. Allume vite un feu, David, pendant que je cherche des vêtements secs pour lui.»

Je la laissai faire à sa guise. Elle apporta des habits que notre propre fils avait portés et en vêtit l'enfant abandonné, frictionnant ses membres glacés, brossant ses cheveux mouillés, lui souriant, le cajolant. Elle semblait être redevenue elle-même. J'étais, pour ma part, complètement déconcerté. Toutes les questions que je ne m'étais pas encore posées se bousculaient à présent dans ma tête. À qui était cet enfant? Quand était-il arrivé? Qu'est-ce que tout cela voulait dire?

C'était un beau bébé, blond, potelé et rose. Quand il fut séché et nourri, il s'endormit dans les bras de Josie. Elle tournait autour de lui, dans un état de ravissement passionné. J'eus peine à la persuader de le quitter le temps de changer de vêtements. Elle ne demanda pas à qui il pouvait être ni d'où il était venu. Il lui avait été envoyé par la mer; c'était l'enfant de rêve qui l'avait conduit jusqu'à elle. Elle le croyait et je n'osai pas jeter un doute sur sa certitude. Cette nuit-là, elle dormit avec le bébé dans ses bras et elle avait, dans son sommeil, le visage serein et confiant d'une jeune fille.

Je prévoyais que, le lendemain, quelqu'un viendrait à la recherche de l'enfant. J'en étais arrivé à la conclusion que l'enfant devait venir de l'«Anse» de l'autre côté du port, où se trouvait le village de pêcheurs; tout le jour, pendant que Josie riait et jouait avec lui, j'attendais les pas de la personne qui viendrait chercher l'enfant. Mais personne ne se présenta. Les jours passèrent. J'étais très perplexe. Que devais-je faire? La pensée qu'on pourrait nous reprendre l'enfant me faisait frémir. Depuis que nous l'avions trouvé, l'enfant de rêve n'était pas revenu. Ma femme semblait avoir tourné le dos au pays de l'ombre où ses pas l'avaient conduite pour recommencer à marcher avec moi dans les chemins connus. Jour et nuit, elle était comme avant, radieuse, heureuse et sereine dans la nouvelle maternité qui lui était venue. La seule chose étrange était la façon calme dont elle avait accepté cet événement. Jamais elle ne se demanda qui pouvait être cet enfant ni à qui il pouvait appartenir; elle ne semblait pas craindre qu'on le lui enlève et elle lui donna le nom de notre enfant de rêve. Finalement, quand une semaine se fut écoulée, je me résolus à me confier à notre vieux médecin.

«Une chose vraiment extraordinaire, commenta-t-il d'un air songeur. Comme vous le dites, l'enfant doit appartenir aux gens de l'Anse aux Épinettes. Pourtant, c'est pratiquement incroyable que personne ne l'ait encore recherché. Il doit cependant y avoir une explication simple à ce mystère. À mon avis, vous devriez aller vous informer à l'Anse. Quand vous aurez trouvé les parents ou les tuteurs de l'enfant, demandez-leur la permission de le garder quelque temps. Cela pourra sauver votre femme. J'ai connu des cas semblables. De façon évidente, elle avait atteint, cette nuit-là, le paroxysme de son trouble mental. Une petite chose aurait suffi à la faire pencher d'un côté ou de l'autre, revenir à la raison et à la santé, ou sombrer dans des ténèbres encore plus profondes. Je crois que la première hypothèse s'est vérifiée et que si on lui laisse l'enfant quelque temps, elle se rétablira complètement.»

Ce jour-là, je contournai le port d'un cœur léger. Je n'avais pas espéré retrouver un jour cette légèreté d'esprit. Arrivé à l'Anse aux Épinettes, la première personne sur qui je tombai fut le vieil Abel Blair. Je lui demandai s'il manquait un enfant au village ou quelque part sur la grève. Il me regarda d'un air étonné, hocha la tête et répondit qu'il n'en avait pas entendu parler. Je lui racontai ce qu'il fallait de l'histoire, lui laissant croire que ma femme et moi avions trouvé l'embarcation et son petit passager lors d'une banale promenade sur la grève.

«Un doris vert! s'exclama-t-il. Le vieux doris vert de Ben Forbes a disparu depuis une semaine, mais il était si pourri et il prenait tellement l'eau qu'il s'est pas donné la peine de le chercher. Mais cet enfant, monsieur, ça me dépasse. De quoi il avait l'air?»

Je lui fis une description aussi fidèle que possible.

«Ça ressemble exactement au petit Harry Martin, déclara le vieil Abel, perplexe. Mais c'est pas possible, monsieur, ou si ce l'est, y a quelque chose de louche dans cette histoire. La femme de James Martin est morte l'hiver dernier, monsieur, et James est mort un mois plus tard. Ils laissaient un bébé et pas grand-chose d'autre. Y avait personne d'autre que Maggie Fleming, la demi-sœur de Jim, pour prendre le petit. Elle habitait à l'Anse, elle aussi, mais j'ai l'regret de vous dire qu'elle avait pas une bonne réputation, monsieur. Elle avait pas envie de s'occuper d'un bébé et les gens disent qu'elle le négligeait scandaleusement. Eh bien, le printemps dernier, elle a commencé à parler de s'en aller aux États. Elle racontait qu'une de ses amies lui avait trouvé un bon travail à Boston et qu'elle y emmènerait le petit Harry. On a pensé que c'était bien. Elle est partie samedi dernier, monsieur. Elle devait marcher jusqu'à la gare, et la dernière fois qu'on l'a vue, elle cheminait sur la route, le bébé dans les bras. On y a plus repensé depuis. Pourtant, monsieur, pouvez-vous imaginer qu'elle ait mis cet enfant innocent dans la vieille barque percée pour l'envoyer à sa mort? J'savais que Maggie était pas la meilleure des filles, mais j'peux pas croire qu'elle était aussi mauvaise que ça.»

«Il faut que vous veniez avec moi voir si vous pouvez identifier l'enfant, dis-je. S'il s'agit de Harry Martin, je vais le garder. Ma femme s'ennuie beaucoup depuis la mort de notre bébé, et elle s'est attachée à ce gamin.»

Quand nous arrivâmes chez moi, le vieil Abel reconnut l'enfant comme étant Harry Martin.

Il est avec nous depuis ce temps. Ses menottes de bébé ont ramené ma chère femme à la santé et au bonheur. Nous avons eu d'autres enfants et elle les aime tous tendrement. Mais le garçon qui porte le nom de son fils mort est pour elle — et pour moi — aussi cher que si nous lui avions donné la vie. Il est venu de la mer et à son arrivée, le spectre de l'enfant de rêve s'est évanoui et son cri n'a plus jamais résonné aux oreilles de ma femme. C'est pourquoi nous le considérons et le chérissons comme s'il était notre fils aîné.

6

Le raté de la famille

La famille Monroe s'était rassemblée pour Noël à la vieille demeure familiale de White Sands, à l'Île-du-Prince-Édouard. C'était la première fois qu'ils étaient réunis sous un même toit depuis le décès de leur mère, survenu trente ans auparavant. Edith Monroe avait eu l'idée de cette réunion de Noël au printemps précédent; ayant attrapé une pneumonie, elle avait passé sa convalescence au milieu d'étrangers dans une ville américaine où elle n'avait pas été capable de remplir ses engagements pour un concert; isolée, elle avait senti, plus que par les années passées, la pression des liens anciens et s'était ennuyée des siens. Une fois rétablie, elle avait donc écrit à son frère, James Monroe, qui habitait la maison ancestrale et c'est ainsi qu'eut lieu cette assemblée sous le vieux toit familial. Pour une fois, Ralph Monroe laissa à Toronto les tracas de ses chemins de fer et les illusions de sa richesse et fit le voyage au village natal que, malgré sa nostalgie, il remettait toujours à plus tard. Malcolm Monroe arriva de la lointaine université de l'Ouest dont il était le recteur. Edith se présenta, auréolée du triomphe de ses plus récentes tournées de concert. Mme Woodburn, née Margaret Monroe, vint de Nouvelle-Écosse où elle vivait la vie heureuse et bien remplie d'épouse d'un jeune avocat prometteur.

James, jovial, les accueillit chaleureusement dans le vieux domaine qui avait prospéré grâce à sa gestion judicieuse.

Tous furent heureux d'oublier leurs soucis et leur âge pour revenir à leur jeunesse insouciante. James avait une famille de garçons et de filles au teint de rose; Margaret amena ses deux fillettes aux yeux bleus; Ralph était accompagné de son fils aux cheveux foncés et à l'air intelligent et Malcolm, du sien, un jeune homme à l'expression déterminée où il y avait moins de gaminerie que chez son père et qui avait le regard d'un marchand astucieux et peut-être même sans merci. Les deux cousins avaient, à un jour près, le même âge et la famille disait en plaisantant que la cigogne avait dû mêler les bébés car le fils de Ralph ressemblait à Malcolm de traits et de caractère tandis que celui de Malcolm était une copie conforme de son oncle Ralph.

Pour couronner le tout, tante Isabel fut de la partie; c'était une vieille dame loquace, avisée et perspicace, qui avait conservé à quatre-vingt-cinq ans sa jeunesse de trente ans. Elle considérait les Monroe comme la crème de la société et rayonnait de fierté à propos de ses neveux et nièces qui étaient partis d'une humble petite ferme pour devenir des personnes brillantes et influentes.

J'ai oublié Robert. Robert Monroe était du genre à être oublié. Bien qu'il fût l'aîné de la famille, les gens de White Sands, quand ils énuméraient les différents membres de la famille Monroe, ajoutaient «et Robert» comme s'ils étaient surpris de se rappeler son existence. Il vivait dans une ferme modeste située sur un terrain sablonneux près de la grève, mais il était venu chez James le soir où les autres invités étaient arrivés; on l'avait accueilli chaleureusement et joyeusement puis la conversation et les rires avaient repris de plus belle. Robert s'était assis en retrait et écoutait en souriant, sans pourtant prendre part à la conversation. Peu après, il s'était éclipsé sans bruit et était rentré chez lui sans que les autres remarquent son départ, absorbés qu'ils étaient à se souvenir des événements du bon vieux temps et à se raconter les péripéties de leurs vies.

Edith relata les succès de sa tournée; Malcolm discourut fièrement de ses projets pour développer son université bien-aimée; Ralph décrivit la campagne que traversait son nouveau chemin de fer et les difficultés qu'il avait dû surmonter en rapport avec ce dernier. James, pour sa part, discutait de son verger et de ses récoltes avec Margaret qui, ayant quitté la ferme depuis peu, était toujours intéressée. Tante Isabel tricotait en souriant de satisfaction, parlant avec l'un, puis avec l'autre, secrètement ravie du fait qu'une vieille femme de quatre-vingt-cinq ans comme elle, qui n'était presque jamais sortie de White Sands, pût discuter haute finance avec Ralph, études avancées avec Malcolm et exprimer son opinion à James sur une question de drainage.

L'institutrice de White Sands, une petite jeune fille aux yeux arqués et à la bouche vermeille, une Bell d'Avonlea, qui vivait en pension chez James Monroe, plaisantait avec les garçons. Comme tout le monde s'amusait beaucoup, il n'est pas étonnant que l'absence de Robert fût passée inaperçue; il avait dû rentrer tôt parce que sa vieille gouvernante était nerveuse quand elle était seule le soir à la maison.

Il revint le lendemain après-midi. James, qui se trouvait dans la cour, lui apprit que Malcolm et Ralph s'étaient rendus au port, que Margaret et Mme James visitaient des amis d'Avonlea, et qu'Edith se promenait dans les bois, sur la colline. Il n'y avait que tante Isabel et l'institutrice dans la maison.

«Tu devrais attendre et rester, ce soir, dit James avec indifférence. Ils seront de retour bientôt.»

Robert traversa la cour et s'assit sur le banc rustique à l'angle du porche. C'était une belle fin d'après-midi de décembre, et le temps était automnal; il n'avait pas encore neigé et les longs prés, descendant en pente depuis la vieille maison, avaient pris une subtile nuance ocrée. Une brise calme, recelant quelque chose de magique, faisait comme un manteau invisible à la forêt, aux champs gelés et à la vallée, auparavant fertile et parsemée de fleurs. La terre était comme un vieillard fatigué qui attend patiemment un sommeil bien mérité. Sur l'océan, un coucher de soleil morne et rouge s'estompait dans des nuages violacés, et le vent du soir portait le doux bruit des vagues qui se brisaient sur la plage.

Robert posa son menton dans sa main et laissa errer son regard sur les vallons et les collines, où le gris léger des arbres dépouillés se mêlait au vert tenace et vigoureux des conifères. C'était un homme grand et voûté aux cheveux gris clairsemés, au visage ridé et aux doux yeux marron enfoncés, les yeux d'un homme qui perçoit, à travers la souffrance, des choses ravissantes. Il se sentait très heureux. Ayant l'esprit de famille et chérissant la sienne, il était ravi de la voir de nouveau rassemblée près de lui. Il était très fier de leurs succès et de leur célébrité et content de constater combien James avait prospéré au cours des dernières années. Aucune jalousie ne défigurait son âme. L'esprit ailleurs, il entendait des voix indistinctes par la fenêtre ouverte du porche, où tante Isabel bavardait avec Kathleen Bell. Tante Isabel s'approcha alors de la fenêtre et ses paroles parvinrent à Robert avec une netteté étonnante.

«Oui, je vous assure que je suis vraiment fière de mes neveux et nièces, Mlle Bell. C'est une famille remarquable. Ils ont presque tous réussi et aucun d'eux n'avait grand-chose pour démarrer. Ralph ne possédait absolument rien et le voilà millionnaire. Leur père a tellement perdu d'argent, et avec sa mauvaise santé et la faillite de la banque, il n'a pu les aider. Mais ils ont tous réussi, sauf ce pauvre Robert qui, je dois l'admettre, est un parfait raté.»

«Oh! non, non», protesta la petite institutrice.

«Un parfait raté!» répéta tante Isabel en appuyant sur les mots. Elle n'allait pas accepter de se faire contredire, surtout par une Bell d'Avonlea. «Il est raté depuis sa naissance. C'est le premier Monroe à jeter ainsi le déshonneur sur la famille. Je suis convaincue que ses frères et sœurs doivent avoir affreusement honte de lui. Il a vécu soixante ans sans jamais faire une seule chose valable. Il n'arrive même pas à rentabiliser sa ferme. S'il n'a pas de dette, c'est vraiment la seule chose qu'il a été capable de faire.»

«Certains hommes n'y arrivent même pas», murmura la jeune institutrice. Elle était si intimidée par cette dominatrice et perspicace tante Isabel que c'était vraiment héroïque de sa part de risquer même une légère protestation.

«On attend davantage d'un Monroe, répliqua la vieille dame avec majesté. Robert Monroe est un raté, il n'y a pas d'autre mot pour le définir.»

Robert, étourdi, se leva. Tante Isabel parlait de lui! Lui, Robert, était un raté, le déshonneur de sa famille; ses proches avaient honte de lui! Oui, c'était la vérité. Il n'en avait jamais pris conscience auparavant. Il avait compris qu'il ne pouvait atteindre le pouvoir ni accumuler des biens, mais il n'y avait pas accordé beaucoup d'importance. À présent, à travers le regard méprisant de tante Isabel, il se voyait comme les autres le percevaient, comme ses frères et sœurs devaient le percevoir. C'était là que le bât blessait. S'il était indifférent à l'opinion que le monde pouvait avoir de lui, il lui était intolérable que les siens le considèrent comme un raté et la honte de la famille. Il gémissait lorsqu'il se mit à traverser la cour, ne désirant plus qu'une chose: cacher sa souffrance et sa honte loin des regards humains, et ses yeux étaient ceux d'un doux animal frappé par un coup cruel et inattendu.

Edith Monroe qui, inconsciente de la proximité de Robert, se trouvait de l'autre côté du porche, vit cette expression lorsqu'il passa rapidement près d'elle, sans la voir. Un instant auparavant, ses yeux noirs avaient brillé de rage aux paroles de tante Isabel, mais sa colère fut noyée dans un flot de larmes. Elle se hâta d'abord de suivre Robert, puis freina son élan. Elle ne pouvait, toute seule, guérir cette blessure fatale. Plus encore, Robert ne devait jamais soupçonner qu'elle était au courant de cette blessure. Elle resta immobile à le regarder, à travers ses larmes, traverser les champs pour aller camoufler son cœur brisé sous son humble toit. Elle avait envie de le suivre et de le consoler, mais elle savait que Robert n'avait pas besoin de cette sorte de réconfort. Seule la justice pouvait retirer ce dard qui, autrement, le tuerait.

Ralph et Malcolm arrivaient à ce moment-là dans la cour. Edith alla à leur rencontre.

«Les gars, dit-elle résolument, il faut que nous ayons une conversation.»

Le dîner de Noël à la vieille maison fut animé. Mme James avait préparé un festin qui aurait convenu aux salons de Lucullus. Des rires et des reparties joyeuses fusaient. Personne ne semblait remarquer que Robert, muet, mangeait peu et que sa silhouette se recroquevillait dans son misérable habit «du dimanche»; sa tête grise était encore plus inclinée que d'habitude, comme s'il souhaitait passer complètement inaperçu. Lorsque les autres lui adressaient la parole, il répondait du bout des lèvres puis rentrait encore davantage dans sa coquille.

Lorsqu'ils furent enfin repus et que le reste du plum-pudding fut emporté à la cuisine, Robert poussa un long soupir de soulagement. C'était presque fini. Il pourrait bientôt s'échapper et épargner la vue de sa honte à ces hommes et ces femmes qui avaient mérité le droit de rire dans ce monde où leurs succès leur conféraient pouvoir et influence. Lui, il n'était qu'un raté. Il se demandait avec impatience pourquoi Mme James ne se levait pas. Cette dernière se renversa confortablement dans sa chaise avec l'expression de celle qui a accompli son devoir envers les palais des siens, et regarda Malcolm. Celui-ci se leva. Le silence tomba sur l'assistance. À l'exception de Robert, tout le monde eut l'air aux aguets. Robert, lui, était toujours assis, la tête basse, enveloppé dans sa propre amertume.

«On m'a dit que je devais commencer, déclara Malcolm, parce que je suis censé avoir la langue bien pendue. Si c'est le cas, je ne vais pas m'en servir pour faire des effets de rhétorique, aujourd'hui. C'est par des mots simples et sincères qu'on exprime les sentiments les plus profonds en rendant justice aux siens. Mes frères et mes sœurs, nous sommes aujourd'hui réunis sous notre toit et entourés par les bénédictions des années passées. Des invités invisibles sont peut-être présents, les esprits de ceux qui ont fondé cette maison et dont le travail ici-bas est terminé depuis longtemps. Il n'est pas mal à propos d'espérer qu'il en soit ainsi et que notre cercle familial soit vraiment complet. À chacune des personnes présentes en chair et en os, une certaine mesure de succès a été accordée; pourtant, un seul d'entre nous a suprêmement réussi dans les seules choses qui comptent vraiment, les choses qui comptent pour l'éternité, c'est-à-dire la sympathie, la générosité et l'abnégation.

«Je vais raconter ma propre histoire pour ceux qui ne la connaissent pas. À seize ans, j'ai commencé à payer mes études. Certains d'entre vous se souviendront que le vieux M. Blair d'Avonlea m'avait offert un emploi d'été dans son magasin, à un salaire qui me permettait de défrayer le coût de mes études à l'académie du comté l'hiver suivant. J'allai travailler, plein d'espoir. Tout l'été, je fis de mon mieux pour mon employeur. En septembre, le coup survint. Une somme d'argent manquait dans la caisse de M. Blair. Je fus soupçonné et renvoyé dans le déshonneur. Tous mes voisins me croyaient coupable; certains membres de ma famille me regardèrent même avec suspicion, et je ne peux les blâmer car les preuves indirectes étaient contre moi.»

Ralph et James parurent honteux; Edith et Margaret, qui n'étaient pas encore nées à cette époque, levèrent la tête d'un air innocent. Robert resta immobile. Il semblait écouter à peine.

«J'étais écrasé par la honte et le désespoir, poursuivit Malcolm. Je croyais que ma carrière était ruinée. J'allais renoncer à mes ambitions et partir chercher du travail dans l'Ouest, là où personne ne me connaissait. Mais une personne croyait en mon innocence et elle m'a dit: "Tu ne dois pas abandonner, tu ne dois pas te conduire comme un coupable. Tu es innocent, et ton innocence sera prouvée en temps et lieu. Entre-temps, agis comme un homme. Tu as presque suffisamment d'argent pour payer ton trimestre à l'Académie, l'hiver prochain. J'en ai un peu que je vais te donner pour t'aider. Ne cède pas, il ne faut jamais céder lorsqu'on n'a rien à se reprocher."

«Je suivis son conseil. Je me rendis à l'Académie. Mon histoire m'avait devancé et tout le monde m'évita. Combien de fois aurais-je pu céder au désespoir, sans l'encouragement de mon conseiller. Il me donna la force de résister. J'étais résolu à ce que sa confiance en moi fût justifiée. J'étudiai fort et terminai premier de ma classe. Il ne semblait pourtant y avoir aucun emploi possible à l'horizon, cet été-là. Mais un fermier de Newbridge, qui se fichait du caractère de ses employés, offrit de m'embaucher. La perspective était désagréable mais, pressé par l'homme qui croyait en moi, j'acceptai le poste et endurai ma peine. Un autre hiver de travail solitaire passa à l'Académie. Je remportai la bourse Farrell la dernière année qu'elle fut offerte, ce qui me permit de m'inscrire au bac. J'allai à l'Université Redmond. Mon histoire était moins connue là-bas, mais quelque chose en avait transpiré suffisamment pour créer un climat de doute autour de moi. Mais l'année où je reçus mon diplôme, le neveu de M. Blair qui, comme vous le savez, était le vrai coupable, avoua sa faute et je fus exonéré de tout blâme. Depuis, j'ai connu ce qu'il est convenu d'appeler une brillante carrière. Pourtant...» Malcolm se retourna et posa la main sur l'épaule décharnée de Robert, «toute ma réussite, c'est à mon frère Robert que je la dois. Ce succès lui appartient, et aujourd'hui, comme nous nous sommes entendus pour dire ce qu'on ne dit souvent que devant un tombeau, je veux le remercier de tout ce qu'il a fait pour moi et lui dire que la chose dont je suis le plus fier, c'est d'avoir un frère comme lui.»

Robert avait fini par lever la tête, stupéfait, déconcerté, incrédule. Son visage devint cramoisi lorsque Malcolm se rassit. Mais c'était à présent Ralph qui se levait.

«Je ne suis pas un orateur comme Malcolm, commença-t-il gaiement, mais j'ai aussi une histoire à raconter, une histoire que seul un d'entre vous connaît. Il y a quarante ans, au moment où je débutais en affaires, j'étais loin d'avoir autant d'argent qu'aujourd'hui. Et j'en avais rudement besoin. La chance me sourit, mais ce n'était pas une chance propre. C'était une chance sale. La tromperie et l'escroquerie se cachaient sous une apparence tout à fait légale. Je n'avais pas suffisamment d'expérience pour m'en apercevoir et j'étais assez fou pour penser que tout était juste. Lorsque je confiai mes intentions à Robert, il vit clairement la chose hideuse que je n'avais pas eu la perspicacité de déceler. Il me montra ce que cela signifiait et me sermonna sur les traditions de loyauté et d'honneur de la famille Monroe. Je vis ce que j'avais failli faire comme lui le voyait, comme tout homme juste et bon doit le voir. Et je jurai alors que jamais je ne m'impliquerais dans quoi que ce soit sans être certain que tout était honnête, limpide et propre. J'ai tenu parole. Je suis un homme riche mais j'ai honnêtement acquis chacun de mes dollars. Pourtant, ce n'est pas moi qui ai gagné cet argent. C'est Robert. Sans lui, je serais pauvre aujourd'hui, ou derrière les barreaux d'une prison, comme ceux qui ont accepté de s'impliquer dans le marché que j'ai refusé. Mon fils est ici. J'espère qu'il sera aussi brillant que son oncle Malcolm, mais, plus encore, je voudrais qu'il soit aussi bon et honorable que son oncle Robert.»

À ce moment, Robert pencha de nouveau la tête et enfouit son visage dans ses mains.

«C'est mon tour, à présent, dit James. Je n'ai qu'une chose à dire. Après la mort de maman, j'ai attrapé la fièvre thyphoïde. Il n'y avait personne pour veiller sur moi. Robert est venu et m'a soigné. Il a été le plus gentil, le plus tendre, le plus fidèle des gardes-malades. Le médecin a affirmé que Robert m'avait sauvé la vie. Je ne crois pas que personne d'entre nous puisse en dire autant.»

Edith essuya ses larmes et se dressa spontanément.

«Il était une fois, dit-elle, une fille pauvre et ambitieuse qui avait de la voix. Elle voulait poursuivre des études en musique; apparemment, la seule façon d'y arriver était d'obtenir un diplôme d'institutrice et de gagner assez d'argent pour suivre des cours de chant. Elle étudia très fort, mais son cerveau n'était pas aussi bon que sa voix, du moins en ce qui concerne les mathématiques. Son temps était compté. Elle échoua. Elle était totalement déçue et désespérée, car c'était la dernière année où il était possible d'obtenir ce diplôme sans fréquenter l'Académie Queen's, et elle n'avait pas les moyens de s'y inscrire. C'est alors que son frère aîné est venu vers elle et lui a dit qu'il avait suffisamment d'argent pour l'envoyer un an au conservatoire de musique d'Halifax. Il l'obligea à accepter cet argent. Elle n'a su que beaucoup plus tard que, pour rassembler cette somme, il avait dû vendre son beau cheval qu'il chérissait comme un être humain. Elle alla au conservatoire d'Halifax et remporta une bourse en musique. Elle vécut une vie heureuse et sa carrière fut couronnée de succès. C'est à son frère Robert qu'elle doit tout ça.»

Edith fut incapable de poursuivre. La voix lui manqua et elle se rassit en pleurant. Margaret n'essaya même pas de se lever.

«Je n'avais que cinq ans à la mort de maman, sanglota-t-elle. Robert me servit à la fois de père et de mère. Aucun enfant n'a jamais eu de tuteur plus sage et aimant. Jamais je n'ai oublié les leçons que j'ai apprises de lui. Tout ce qu'il y a de bon dans ma vie ou mon caractère, c'est à lui que je le dois. Je me montrais souvent têtue et arrogante, mais il n'a jamais perdu patience avec moi. Je dois tout à Robert.»

La petite institutrice se leva soudain, les yeux humides et les joues enflammées.

«J'ai aussi quelque chose à dire, fit-elle résolument. Vous avez parlé en vos propres noms. Moi, je parle au nom des gens de White Sands. Dans le village, vit un homme que tout le monde aime. Je vais vous raconter quelques-unes des choses qu'il a faites.

«En octobre dernier, lors d'une tempête, un drapeau de détresse fut hissé au phare. Un seul homme eut le courage d'affronter le danger et navigua jusqu'au phare pour se rendre compte du problème. Cet homme était Robert Monroe. Il trouva le gardien tout seul, la jambe cassée. Il revint en bateau et obligea, oui, il obligea le médecin terrifié à l'accompagner au phare. Je l'ai vu lorsqu'il a dit au médecin qu'il devait y aller. Et je vous assure qu'aucun homme vivant n'aurait pu s'opposer à Robert Monroe à ce moment-là.

«Il y a quatre ans, la vieille Sarah Cooper devait aller à l'hospice. Elle avait le cœur brisé. Un homme accueillit chez lui la pauvre vieille créature malade et usée par le travail, paya les soins médicaux, et veilla sur elle quand sa gouvernante ne pouvait endurer ses crises et ses colères. Sarah Cooper est morte deux ans plus tard et elle rendit le dernier soupir en bénissant Robert Monroe, le meilleur homme jamais créé par Dieu.

«Il y a huit ans, Jack Blewett cherchait un emploi. Personne ne voulait l'embaucher parce que son père était au pénitencier et certaines personnes croyaient que Jack aurait dû y être, lui aussi. Robert Monroe l'engagea, l'aida, le garda dans le droit chemin et lui permit d'avoir un bon départ. À présent, Jack Blewett est un jeune homme respecté et un bon travailleur et il a toutes les chances de vivre une existence utile et honorable. À White Sands, il n'y a, pour ainsi dire, pas un homme, une femme ou un enfant qui ne doit quelque chose à Robert Monroe!»

Comme Kathleen se rasseyait, Malcolm se leva et tendit les mains.

«Que tout le monde se lève et chante *Il a gagné ses épaulettes*», s'écria-t-il.

Chacun se leva et joignit les mains, mais une personne ne chanta pas. Robert Monroe resta debout, immobile, le visage et les yeux irradiant de bonheur. On ne lui reprochait plus rien. À présent, les siens s'étaient levés en chœur pour lui rendre honneur et bénir son nom.

Quand la chanson fut terminée, le fils de Malcolm au visage sérieux se pencha par-dessus la table et serra la main de Robert.

«Oncle Rob, dit-il chaleureusement, j'espère avoir, à soixante ans, réussi ma vie comme toi.»

«J'imagine, confia tante Isabel en aparté à la petite institutrice tout en essuyant les larmes qui coulaient de ses yeux perçants, que certains échecs sont des succès.»

7

Le retour d'Hester

Au crépuscule, ce soir-là, j'étais montée mettre ma robe de mousseline. J'avais été occupée tout le jour à faire les confitures de fraises, car on ne pouvait confier cette tâche à Mary Sloane, et je me sentais un peu lasse. Je me disais qu'il ne valait pas vraiment la peine de changer de robe, surtout que depuis le départ d'Hester, il n'y avait personne à voir ni à qui plaire. Mary Sloane ne comptait pas.

Je me changeai pourtant car ç'aurait été important pour Hester, si elle avait été là. Elle aimait toujours me voir propre et élégante. Alors, même si j'étais fatiguée et chagrine, je mis ma robe de mousseline bleu pâle et me coiffai. Pour commencer, je me remontai les cheveux d'une façon qui m'avait toujours plu mais que je portais rarement car Hester ne l'approuvait pas. Cette coiffure m'allait bien. Pourtant, je me sentis soudain déloyale envers elle et je laissai retomber mes boucles et arrangeai mes cheveux à la manière simple et ancienne qui lui plaisait. Mes cheveux, bien que mêlés de fils gris, étaient encore épais, longs et bruns. Mais c'était sans importance; rien n'avait d'importance depuis qu'Hester était morte et que j'avais renvoyé Hugh Blair pour la deuxième fois.

Les habitants de Newbridge se demandaient tous pourquoi je ne portais pas le deuil. Je ne leur disais pas que c'était parce qu'Hester elle-même m'en avait priée. Hester n'avait jamais approuvé le port de vêtements de deuil. Elle prétendait que si le cœur n'était pas triste, le crêpe n'y changerait rien, et que dans le cas contraire, il était inutile d'en montrer les signes extérieurs. Elle me demanda calmement, la nuit de sa mort, de continuer à porter mes jolies robes comme avant et de ne pas agir de façon différente dans ma vie extérieure à cause de son départ.

«Je sais bien que ta vie intérieure ne sera plus la même», avait-elle ajouté tristement.

Et, oh! comme c'était vrai! Pourtant, il m'arrivait de me demander avec une certaine gêne, et presque des remords de conscience, si ma tristesse était entièrement due à la mort d'Hester, ou si ce n'était pas plutôt parce que j'avais, pour la deuxième fois, fermé, à sa requête, la porte de mon cœur à l'amour.

Une fois habillée, je descendis jusqu'à la porte d'entrée et m'assis dans les marches de grès sous la voûte de vigne vierge. J'étais toute seule, Mary Sloane étant retournée à Avonlea. La soirée était magnifique; une pleine lune venait de se lever sur les collines boisées, éclairant, à travers les peupliers, le jardin devant moi. Par un angle ouvert du côté ouest, j'aperçus le ciel bleu argenté dans la pénombre. Le jardin était alors splendide, car c'était l'époque des roses, et les nôtres, roses, rouges, blanches et jaunes, étaient presque toutes ouvertes.

Hester adorait les roses et ne s'en rassasiait pas. Son arbrisseau favori poussait près des marches et toutes ses fleurs étaient épanouies, blanches aux petits cœurs rose pâle. J'en cueillis quelques-unes que j'épinglai négligemment sur mon corsage. Mais les larmes me montèrent aux yeux en faisant ce geste; je me sentais tellement malheureuse. J'étais toute seule, et c'était douloureux. J'avais beau aimer les roses, elles ne pouvaient suffire à me tenir compagnie. Je voulais sentir la pression d'une main humaine et voir la lumière de l'amour briller dans les yeux de quelqu'un. Je me mis alors à songer à Hugh, même si j'avais tenté de chasser sa pensée.

J'avais toujours vécu seule avec Hester. Je ne me souvenais pas de nos parents qui étaient morts durant ma tendre enfance. Hester était de quinze ans mon aînée et elle s'était toujours comportée davantage comme une mère que comme une sœur. Elle m'avait témoigné beaucoup de bonté et ne m'avait jamais rien refusé... sauf la seule chose qui m'importait. Je n'eus pas d'amoureux avant l'âge de vingt-cinq ans. Ce n'était pas parce que j'étais moins jolie que les autres femmes, du moins je ne le pense pas. Les Meredith avaient toujours été la «grande» famille de Newbridge. Les gens nous considéraient avec respect, car nous étions les petites-filles du vieux seigneur Meredith. Les jeunes gens de Newbridge ne se seraient jamais aventurés à essayer de courtiser une Meredith. Je ne ressentais pas beaucoup de fierté familiale et je devrais peut-être avoir honte de l'avouer. Je trouvais notre position sociale très solitaire et j'aurais aimé vivre les simples joies de l'amitié et de la camaraderie que connaissaient les autres filles. Mais Hester possédait une double mesure de cet orgueil. Elle ne me permettait pas de m'associer sur un pied d'égalité avec les jeunes de Newbridge. Nous devions nous montrer très gentilles, bonnes et affables avec les autres, noblesse oblige, mais ne jamais oublier que nous étions des Meredith.

Lorsque j'eus vingt-cinq ans, Hugh Blair, qui venait d'acheter une ferme près de notre village, arriva à Newbridge. Comme il venait de Carmody En-Bas, il n'avait pas d'idées préconçues concernant la supériorité des Meredith. À ses yeux, je n'étais qu'une jeune fille comme les autres, une fille pouvant être courtisée et conquise par un homme à la vie honorable et au cœur sincère. Je fis sa connaissance à un petit pique-nique de l'école du dimanche à Avonlea auquel je participais avec ma classe. Je le trouvai très beau et viril. Il parla beaucoup avec moi et finit par me raccompagner chez moi. Le dimanche soir suivant, nous revînmes ensemble à la maison après l'office religieux.

Hester était évidemment absente, sinon cela ne se serait jamais produit. Elle passait un mois en visite chez des amis éloignés. Pendant ce mois, je vécus toute une vie. Hugh Blair me courtisait comme les autres filles de Newbridge se faisaient courtiser. Nous sortions en voiture et il me rendait visite le soir; nous passions la majorité du temps dans le jardin. Je n'aimais pas le vieux salon des Meredith si imposant et si sombre, et Hugh n'avait jamais l'air à son aise dans cette pièce. Ses larges épaules et son rire jovial paraissaient déplacés parmi nos meubles défraîchis et vieillots.

Les visites de Hugh ravissaient Mary Sloane. Le fait que je n'avais jamais eu de «prétendant» l'avait toujours chagrinée, et elle semblait prendre cela comme un affront à mon égard. Elle fit de son mieux pour encourager Hugh. Mais lorsque Hester revint et entendit parler de lui, elle fut très fâchée, et même blessée, ce qui me fit encore plus mal. Elle me déclara que je m'étais oubliée et que les visites de Hugh devaient cesser. Je n'avais jamais craint Hester, mais elle me fit peur à ce moment-là. Je fis peut-être preuve d'une grande faiblesse, mais j'avais toujours été faible. Je pense que c'est pour cette raison que la force de Hugh m'avait tant attirée. J'avais besoin d'amour et de protection. Hester, qui était forte et autonome, n'avait jamais éprouvé ce besoin. Elle ne pouvait pas comprendre. Oh! Comme elle se montra méprisante!

Je déclarai timidement à Hugh qu'Hester n'approuvait pas notre amitié et que nous devions y mettre un terme. Il prit la chose calmement et s'en alla. Je me dis qu'il ne devait pas m'aimer beaucoup, et cette pensée accentua encore mon chagrin. Je fus longtemps très malheureuse mais j'essayai de le cacher à Hester et je crois y être parvenue. À certains égards, elle n'était pas des plus perspicaces.

Après un certain temps, je fus rétablie, c'est-à-dire que le cœur cessa de me faire mal tout le temps. Mais rien n'était pareil. La vie me parut plutôt sombre et vide, malgré Hester, mes roses et mon école du dimanche. Je croyais que Hugh Blair épouserait une autre femme. Il n'en fit rien. Les années passèrent et nous ne nous rencontrâmes jamais plus. Il m'arrivait pourtant de le voir à l'église. À ces moments-là, Hester me surveillait très étroitement, et c'était bien inutile de le faire. Hugh ne fit aucun geste pour tenter de me rencontrer ou de me parler; j'aurais de toute façon refusé s'il l'avait essayé. Pourtant, mon cœur languissait toujours de lui. J'étais égoïstement contente qu'il ne fût pas marié, car s'il l'avait été, je n'aurais pas eu le droit de penser à lui, de rêver de lui. C'était peut-être fou, mais il me semblait qu'il fallait que j'aie quelque chose, même si ce n'était qu'un rêve futile, pour remplir ma vie.

Au début, penser à lui me faisait uniquement souffrir. Puis, peu à peu, un petit plaisir imperceptible et évanescent s'insinua, comme un mirage d'un pays des merveilles perdu.

Dix années passèrent. Puis, Hester mourut. Sa maladie fut soudaine et brève. Avant sa mort, elle me demanda pourtant de lui promettre de ne jamais épouser Hugh Blair. Il y avait des années qu'elle n'avait mentionné son nom. Je croyais qu'elle l'avait complètement oublié.

«Oh! ma chère sœur, cette promesse n'est-elle pas inutile? demandai-je en pleurant. Hugh Blair ne veut plus m'épouser. Jamais plus il ne le voudra.»

«Il ne s'est jamais marié, il ne t'a pas oubliée, répondit-elle avec rancœur. Je ne pourrais me reposer dans ma tombe si je pensais que tu allais déshonorer la famille en épousant un homme d'une classe sociale inférieure. Promets-le-moi, Margaret.»

Je promis. J'aurais promis n'importe quoi pour adoucir son agonie. Et puis, quelle importance? J'étais convaincue que Hugh ne penserait plus à moi.

Lorsque j'eus promis, elle sourit et pressa ma main.

«C'est bien, tu es une bonne petite sœur. Tu as toujours été gentille, Margaret, gentille et obéissante bien qu'à certains égards, un peu sentimentale et folichonne. Tu es comme notre mère qui a toujours été faible et affectueuse. Moi, je tiens des Meredith.»

C'était la vérité. Même dans son cercueil, ses beaux traits sombres conservaient leur expression orgueilleuse et déterminée. D'une certaine façon, la dernière image de son visage mort resta dans ma mémoire, effaçant toute la réelle affection et la bonté que son visage vivant m'avait toujours manifestées. Cela me bouleversait, mais je ne pouvais faire autrement. J'aurais voulu la revoir bonne et aimante, mais je ne pouvais me rappeler que la fierté et la froideur avec lesquelles elle avait écrasé mon bonheur naissant. Je ne ressentais pourtant ni colère ni rancune à l'égard de sa conduite. Je savais que c'était pour mon bien qu'elle avait agi ainsi, vraiment pour mon bien. Le problème, c'est qu'elle s'était trompée.

Ensuite, un mois après sa mort, Hugh vint me demander de devenir sa femme. Il dit qu'il m'avait toujours aimée et n'avait jamais été attiré par une autre. Tout mon ancien amour pour lui se réveilla. Je voulais accepter, sentir ses bras forts autour de moi et la chaleur de son amour m'envelopper et me protéger. Dans ma faiblesse, je languissais de sa force. Mais il y avait la promesse que j'avais faite à Hester sur son lit de mort. Je ne pouvais la trahir et je l'expliquai à Hugh. C'est la chose la plus difficile que j'aie jamais faite.

Cette fois-là, il ne partit pas tranquillement. Il me supplia, me raisonna et me fit des reproches. Chacune de ses paroles me blessait comme un coup de poignard. Mais je ne pouvais rompre le serment que j'avais fait à une morte. Si Hester avait été vivante, j'aurais affronté sa colère, j'aurais même risqué de me brouiller avec elle pour partir avec lui. Mais elle était morte et c'était impossible.

Il avait fini par s'en aller, blessé et fâché. Il y avait trois semaines de cela, et voilà que j'étais assise toute seule dans le jardin de roses éclairé par la lune, à pleurer en pensant à lui. Après quelques instants, mes larmes se séchèrent et je fus envahie par une sensation des plus étranges. Je me sentis sereine, heureuse, comme si un amour tendre et merveilleux se trouvait à proximité.

Et c'est ici que se produisit la partie insolite de mon histoire, la partie que l'on ne croira jamais, je présume. Si ce n'était d'un détail, moi-même j'aurais peine à la croire. Je serais tentée de penser que j'ai rêvé tout ça. Mais à cause de ce détail, je sais que tout était réel. La nuit était très calme et silencieuse. Il n'y avait pas un souffle de vent. Je n'avais jamais vu de lune aussi brillante. Au milieu du jardin, où il n'y avait pas d'ombre jetée par les peupliers, il faisait presque aussi clair qu'en plein jour. On aurait pu lire un texte imprimé en petits caractères. Une faible lueur rosâtre persistait à l'ouest, et au-dessus de la cime des peupliers, de grandes étoiles scintillaient. L'air semblait porteur de rêves et la beauté du paysage était telle que j'en retins mon souffle. Puis, soudain, à l'extrémité du jardin, j'aperçus une femme qui marchait. Je crus d'abord qu'il s'agissait de Mary Sloane, mais lorsqu'elle traversa un sentier éclairé, je vis que ce n'était pas la silhouette trapue de notre vieille servante. Cette femme était grande et droite. Aucune intuition de la vérité ne m'effleura sur le moment, pourtant quelque chose en elle me rappela Hester. Hester avait tant aimé se promener dans le jardin au clair de lune. Je l'avais vu faire ainsi des milliers de fois.

Je me demandai qui cette femme pouvait bien être. Une voisine, sans doute. Mais comme elle se déplaçait de façon étrange! Elle marchait lentement dans le jardin, dans l'ombre des peupliers. Elle se penchait parfois, comme pour caresser une fleur, mais n'en cueillit aucune. Arrivée à mi-chemin, la lune l'éclaira et elle traversa un parterre au centre du jardin. Mon cœur fit un bond et je me levai brusquement. Elle était à présent tout près de moi, et j'avais reconnu Hester.

Je pourrais difficilement expliquer ce que je ressentis à ce moment. Je sais que je ne fus pas surprise. J'étais effrayée sans l'être vraiment. Quelque chose en moi reculait, maladivement terrifié. Et pourtant, au tréfonds de moi, je n'éprouvais aucune terreur. Je savais que c'était ma sœur et que je n'avais aucune raison de la craindre, parce qu'elle continuait à m'aimer comme avant. Je n'avais conscience d'aucune autre pensée cohérente, d'aucune question, d'aucune tentation de raisonner.

Hester s'arrêta à quelques pas de moi. Dans le clair de lune, je vis distinctement son visage. Il avait une expression que je ne lui avais jamais vue auparavant, empreinte d'humilité, de mélancolie et de tendresse. Souvent, au cours de sa vie, Hester m'avait regardée avec affection, voire avec tendresse, mais c'était pourtant toujours à travers un masque sévère et hautain. Ce masque avait à présent disparu, et je me sentis plus proche d'elle que jamais auparavant. Soudain, je sus qu'elle me comprenait. C'est alors que la partie à demi consciente de moi qui était terrifiée s'évanouit et je n'eus alors plus conscience que d'une chose: Hester était présente et aucun gouffre ne nous séparait plus.

Hester me fit un signe de la main et me dit:

«Viens.»

Je me levai et la suivis hors du jardin. Nous marchâmes côte à côte dans l'allée, sous les saules, puis sur la route qui s'étalait sous cette lune brillante et sereine. J'avais l'impression de me mouvoir dans un rêve et d'obéir à une volonté qui n'était pas la mienne et à laquelle, l'eussé-je voulu, je n'aurais pu résister. Mais je ne désirais pas m'y opposer. Je n'éprouvais qu'une satisfaction étrange, infinie.

Nous marchâmes sur le chemin bordé de jeunes sapins. Je respirai, au passage, leur parfum résineux et remarquai combien leurs cimes effilées pointaient, claires et sombres, vers le ciel. J'entendis mes propres pas sur les brindilles et les plantes, et le frôlement du bas de ma robe sur l'herbe. Hester, elle, se mouvait sans bruit. Nous traversâmes ensuite l'Avenue, ce chemin de traverse sous les pommiers qu'Anne Shirley d'Avonlea a baptisé le «Chemin blanc du plaisir». Il y faisait presque sombre, et pourtant, je distinguais le visage d'Hester aussi nettement que si la lune l'avait éclairé. Et chaque fois que je jetais les yeux sur elle, elle me regardait avec ce même sourire étrangement doux sur les lèvres.

Au moment où nous débouchions dans l'Avenue, James Trent nous rejoignit en voiture. Il me semble que nos réactions à un moment donné sont rarement celles que nous avions prévues. Je me sentis simplement ennuyée que James Trent, le plus célèbre porte-panier de Newbridge, m'ait vue en train de marcher avec Hester. Dans un éclair, j'anticipai tous les problèmes que cette rencontre susciterait: il rapporterait l'histoire à tout un chacun.

Mais James Trent se contenta de m'adresser un signe de tête en me disant:

«Comment ça va, Mlle Margaret? Vous vous promenez

toute seule au clair de lune? Belle soirée, pas vrai?»

En même temps, son cheval fit un écart, comme s'il était effarouché, et partit au galop. Un instant plus tard, ils avaient disparu dans le tournant de la route. Je fus soulagée, mais déconcertée, toutefois, car James Trent n'avait pas vu Hester!

Plus loin, sur la colline, habitait Hugh Blair. Quand nous arrivâmes à la barrière, Hester emprunta le sentier qui menait à la maison. Alors, pour la première fois, je compris pourquoi elle était revenue et un éclair de joie aveuglant envahit mon âme. Je m'arrêtai et la regardai. Ses yeux profonds fixèrent les miens, mais elle ne prononça pas une parole. Nous continuâmes à avancer. La maison de Hugh se dressait devant nous dans le clair de lune, couverte de lierre entremêlé. Son jardin se trouvait à notre droite; il était charmant, plein de fleurs vieillottes poussant en un désordre adorable. Je marchai sur un lit de menthe dont l'arôme monta jusqu'à moi comme l'encens d'une cérémonie étrange, sacrée et solennelle. Je me sentis indescriptiblement heureuse et comblée.

Arrivées à la porte, Hester me dit:

«Frappe, Margaret.»

Je frappai doucement. Un instant plus tard, Hugh vint ouvrir. Il se produisit alors cette chose qui, par la suite, m'assura que je n'avais ni rêvé ni imaginé ce qui m'arrivait. Hugh ne me regarda pas, mais il regarda derrière moi.

«Hester!» s'exclama-t-il, sa voix exprimant une frayeur et une horreur humaines.

Ce grand homme costaud s'appuya contre le montant de la porte, tremblant de la tête aux pieds.

«J'ai appris, dit Hester, que rien d'autre que l'amour n'a d'importance dans l'univers de Dieu. Là d'où je viens, il n'y a ni orgueil ni faux idéaux.»

Hugh et moi, nous nous regardâmes dans les yeux, remplis d'étonnement, puis nous comprîmes que nous étions de nouveau seuls.

8

Le petit livre brun de Mlle Emily

Le premier été que M. Irving et Mlle Lavendar — car Diana et moi n'avons jamais réussi à l'appeler autrement, même lorsqu'elle fut mariée — vinrent au Pavillon de l'Écho après leur mariage, Diana et moi passâmes beaucoup de temps avec eux. Nous fîmes ainsi la connaissance de plusieurs habitants de Grafton que nous ne connaissions pas auparavant, parmi lesquels se trouvait la famille de M. Mack Leith. Nous allâmes souvent jouer au croquet le soir, chez les Leith. Millie et Margaret Leith étaient de très gentilles jeunes filles, et les garçons étaient sympathiques, eux aussi. Nous aimions vraiment tous les membres de la famille, à l'exception de cette pauvre vieille Mlle Emily Leith. Nous nous étions bien efforcées de l'aimer, parce qu'elle paraissait avoir beaucoup d'affection pour nous deux et voulait toujours s'asseoir près de nous pour bavarder alors que nous aurions bien préféré être ailleurs. Nous nous sentions très impatientes à ces moments-là, mais je suis à présent contente de penser que nous ne l'avons jamais montré.

D'une certaine façon, nous avions pitié de Mlle Emily. C'était la sœur célibataire de M. Leith et elle ne comptait pas pour beaucoup dans la maison. Mais tout en ayant pitié d'elle, nous n'arrivions pas à l'aimer. Elle était vraiment tatillonne et indiscrète. Elle aimait se mêler des affaires des autres et était absolument dépourvue de tact. Elle était également très sarcastique et semblait éprouver de la rancœur à l'égard des jeunes et de leurs histoires de cœur. Diana et moi pensions que c'était parce qu'elle-même n'avait jamais eu d'amoureux. Car l'amour et Mᴸᴸᴱ Emily semblaient tout à fait incompatibles. Elle était courtaude, robuste et massive, et son visage était si rond, gras et rubicond que les traits s'y noyaient; elle avait des cheveux gris et clairsemés. Elle marchait en se dandinant tout comme Mᵐᵉ Rachel Lynde, et son souffle était toujours un peu court. Il était difficile d'imaginer que Mᴸᴸᴱ Emily avait déjà été jeune, et pourtant, M. Murray, le voisin des Leith, nous assurait qu'elle avait même été très jolie.

«Voilà au moins une chose impossible», me confia Diana.

Puis, un jour, Mᴸᴸᴱ Emily mourut. Personne n'eut beaucoup de peine, je le crains. Cela me paraît vraiment horrible de quitter ce monde sans qu'une seule personne ne nous regrette. Mᴸᴸᴱ Emily était déjà enterrée lorsque Diana et moi avons appris son décès. Un jour, revenant d'Orchard Slope, je trouvai une bizarre petite malle miteuse en poil de cheval, criblée de clous de bronze, sur le plancher de ma chambre aux Pignons verts. Marilla me dit que Jack Leith l'avait apportée en précisant qu'elle avait appartenu à Mᴸᴸᴱ Emily et qu'avant de mourir cette dernière avait demandé qu'on me la remette.

«Mais qu'est-ce qu'elle contient? Et qu'est-ce que je dois en faire?» demandai-je, déconcertée.

«On n'a pas dit ce que tu devais en faire. Jack prétend qu'on ignore ce qu'elle contient et qu'on n'a pas fouillé dedans, vu que c'est ta propriété. Cela me semble insolite, mais tu es toujours mêlée à des choses bizarres, Anne. Quant à savoir ce qu'elle contient, je présume que la façon la plus facile de le découvrir est de l'ouvrir et de regarder. La clef y est attachée. Selon Jack, Mᴸᴸᴱ Emily voulait que ce soit toi qui l'aies parce qu'elle t'aimait et voyait en toi sa jeunesse perdue. J'imagine qu'elle délirait un peu, à la fin, et se posait des questions. Elle a dit qu'elle voulait que tu la comprennes.»

Je me précipitai à Orchard Slope et demandai à Diana de venir examiner la malle avec moi. Je n'avais reçu aucune instruction de garder son contenu secret et savais que Mlle Emily n'aurait pas été offusquée que Diana en prenne connaissance.

C'était un après-midi frais et gris et la pluie commençait à tomber lorsque nous arrivâmes aux Pignons verts. Lorsque nous montâmes à ma chambre, le vent se levait et soufflait à travers les branches du vieux pommier qui poussait près de ma fenêtre. Diana se sentait fébrile et, à mon avis, un tantinet effrayée. Nous ouvrîmes le vieux coffre. Il était minuscule et ne contenait rien d'autre qu'une grosse boîte de carton ficelée dont les nœuds étaient cachetés à la cire. Nous la sortîmes et défîmes les nœuds. Ce faisant, je touchai les doigts de Diana et nous nous exclamâmes en même temps: «Comme ta main est froide!»

Dans la boîte, il y avait une jolie robe à l'ancienne mode, pas du tout décolorée, en mousseline bleue semée de fleurs d'une nuance plus foncée. En dessous, nous trouvâmes une ceinture, un éventail en plumes jaunies et une enveloppe pleine de fleurs séchées. Au fond de la boîte se trouvait un petit livre marron. Il était plutôt petit et mince, comme un cahier d'écolière, et les feuilles qui avaient été roses et bleues étaient à présent décolorées et tachées par endroits. Sur la page de garde, les mots «Emily Margaret Leith» étaient tracés d'une écriture délicate, la même qui couvrait les premières pages du cahier. Il n'y avait rien d'écrit sur les autres pages. Diana et moi nous nous assîmes sur le sol pour lire le petit livre ensemble, pendant que la pluie cognait sur les carreaux de la fenêtre.

Le 19 juin 19...
Je suis arrivée aujourd'hui pour passer
quelque temps chez tante Margaret à Char-

lottetown. C'est si joli, ici, où elle habite, et c'est vraiment plus agréable que notre ferme. Je n'ai pas de vaches à traire ni de cochons à nourrir. Tante Margaret m'a offert une adorable robe de mousseline bleue que je vais porter la semaine prochaine à une garden-party à Brighton. C'est la première fois que je possède une robe de mousseline, je n'ai jamais rien eu d'autre que des vêtements en lainage foncé, aux laids imprimés. J'aimerais que nous soyons riches comme tante Margaret. Quand je lui ai dit cela, elle a éclaté de rire en déclarant qu'elle échangerait tous ses biens contre ma jeunesse, ma beauté et mon insouciance. Je n'ai que dix-huit ans et je sais que j'ai un caractère joyeux, mais je me demande si je suis vraiment jolie. Il me semble que je le suis quand je me regarde dans les splendides glaces de tante Margaret. Mon reflet est très différent de celui que je vois dans le vieux miroir craquelé de ma chambre à la maison, qui me tord et me verdit le visage. Mais tante Margaret a gâché son compliment en me disant qu'à mon âge, elle était exactement comme moi. Je ne sais pas ce que je ferais si je pensais que j'allais lui ressembler un jour. Elle est si grasse, si rougeaude.

Le 29 juin

La semaine dernière, je suis allée à la garden-party et j'ai rencontré un jeune homme qui s'appelle Paul Osborne. C'est un artiste de Montréal qui vit en pension à Heppoch. C'est le plus bel homme que j'aie jamais vu, très grand et mince avec des yeux noirs rêveurs, le teint pâle et une expression intelligente. Depuis notre rencontre, je pense à lui sans arrêt.

Aujourd'hui, il est venu me demander s'il pouvait peindre mon portrait. Cela m'a beaucoup
flattée et j'ai été ravie lorsque tante Margaret
l'a autorisé à le faire. Il dit qu'il veut me faire
représenter le «printemps», debout sous les
peupliers avec le soleil qui brille à travers les
branches. Je vais porter ma robe de mousseline
bleue et une guirlande de fleurs dans les cheveux. Il dit que j'ai une chevelure superbe,
qu'il n'a jamais vu cette teinte d'or pâle. On
dirait que je la trouve plus jolie depuis qu'il
m'a fait ce compliment.

J'ai reçu une lettre de la maison aujour-
d'hui. Maman raconte que la poule bleue a
déserté son nid et qu'elle est partie avec quatorze poussins, et que papa a vendu le petit
veau tacheté. On dirait que ces détails ne
m'intéressent plus comme avant.

Le 9 juillet
M. Osborne dit qu'il est très satisfait du
portrait. Je sais qu'il m'embellit beaucoup,
même s'il persiste à dire qu'il ne peut me
rendre justice. Quand il aura terminé, il va
l'envoyer à une grande exposition, mais il dit
qu'il va m'en faire une petite copie à l'aquarelle.

Il vient me peindre tous les jours; nous
bavardons beaucoup et il me lit des passages
adorables de ses livres. Je ne les comprends
pas tous, mais j'essaie, et il me les explique si
gentiment et se montre si patient malgré ma
stupidité. Et il dit qu'une fille qui a des yeux,
des cheveux et un teint comme moi n'a pas
besoin d'être brillante. Il dit que j'ai le rire le
plus doux et le plus joyeux du monde. Mais je
ne vais pas écrire tous les compliments qu'il

m'a faits. Il ne doit pas en penser un mot, je suppose.

Le soir, nous nous promenons parmi les épinettes ou nous nous asseyons sur le banc sous l'acacia. Parfois, nous ne parlons pas du tout, pourtant je ne trouve pas le temps long. En réalité, le temps va trop vite, puis la lune se lève, ronde et rousse, au-dessus du port, et M. Osborne soupire et dit qu'il suppose qu'il est temps pour lui de rentrer.

Le 24 juillet

Je suis si heureuse que mon bonheur me terrifie. Je ne savais pas que la vie pouvait être aussi belle!

Paul m'aime! Il me l'a dit ce soir pendant que nous marchions dans le port en contemplant le coucher du soleil, et il m'a demandé de l'épouser. Je l'aime depuis la première fois que je l'ai vu, mais j'ai peur de ne pas être assez intelligente et cultivée pour être sa femme. Parce que, évidemment, je ne suis qu'une petite campagnarde ignorante ayant passé toute sa vie à la ferme. Seigneur! J'ai encore les mains rugueuses de tout le travail que j'ai fait. Mais Paul s'est contenté de rire quand je lui ai dit cela, il m'a pris les mains et les a embrassées. Puis il m'a regardée dans les yeux et il a ri encore, parce que je n'étais pas capable de lui cacher mon amour.

Nous allons nous marier le printemps prochain et Paul dit qu'il va m'amener en Europe. Ce sera très bien, mais la seule chose qui m'importe, c'est d'être avec lui.

Paul vient d'une famille très riche et sa mère et ses sœurs sont très élégantes. Je suis terrifiée à l'idée de les rencontrer, mais je n'en ai rien dit à Paul parce qu'il pourrait en avoir de la peine et je ne voudrais cela pour rien au monde.

Pour lui, j'endurerais n'importe quoi. Je n'aurais jamais pensé qu'on pouvait éprouver ce sentiment. J'avais coutume de croire que si j'aimais quelqu'un, je voudrais qu'il fasse tout pour moi et qu'il me traite comme une princesse. Mais ce n'est pas ça du tout. L'amour nous rend humble et on veut tout faire pour l'être aimé.

Le 10 août

Paul est parti chez lui aujourd'hui. Oh! Comme c'est terrible! Je ne sais pas comment je vais pouvoir supporter la vie sans lui, même pendant une courte période. Mais c'est stupide de ma part, parce que je sais qu'il devait partir et qu'il va m'écrire et venir me voir souvent. Pourtant, je m'ennuie de lui. Je n'ai pas pleuré lorsqu'il est parti parce que je voulais qu'il garde de moi l'image souriante qu'il aimait, mais depuis, je pleure sans arrêt, même si j'essaie d'arrêter. Nous avons vécu deux semaines si merveilleuses. Chaque journée paraissait plus charmante et heureuse que la dernière, et maintenant, c'est fini, et j'ai l'impression que cela ne reviendra jamais plus. Oh! Je suis idiote, mais je l'aime tant que si je perdais son amour, je sais que j'en mourrais.

Le 17 août

Je crois que mon cœur est mort. Mais non, c'est impossible, car il me fait trop mal.

La mère de Paul est venue me voir aujourd'hui. Elle n'était ni en colère ni désagréable. J'aurais eu moins peur d'elle si elle l'avait été.

Mais là, je me suis sentie incapable d'ouvrir la bouche. Elle est très belle, majestueuse et magnifique, avec une voix grave, froide et fière, et des yeux sombres. Son visage ressemble à celui de Paul, mais sans en avoir le charme.

Elle me parla longtemps et me dit des choses épouvantables, épouvantables parce que je sais qu'elles sont vraies. C'était comme si je voyais toutes les choses par ses yeux. Elle a dit que Paul était obnubilé par ma jeunesse et ma beauté, mais que cela ne durerait pas et que je n'avais rien d'autre à lui offrir. Elle a dit que Paul devait épouser une femme de sa classe sociale qui pourrait faire honneur à sa réputation et à sa position. Elle a dit qu'il avait beaucoup de talent et qu'une grande carrière l'attendait, mais que s'il m'épousait, il gâcherait sa vie.

À mesure qu'elle me l'expliquait, je compris qu'elle avait raison et je lui dis finalement que je n'épouserais pas Paul et qu'elle pouvait le lui apprendre. Mais elle a souri et a répondu qu'il fallait que ce soit moi qui le lui dise, parce qu'il ne croirait personne d'autre. J'aurais pu la supplier de m'épargner cela, mais je savais que c'était inutile. Je crois qu'elle n'aurait eu pitié de personne. De plus, elle disait la vérité.

Lorsqu'elle m'a remerciée de me montrer aussi raisonnable, je lui ai répondu que ce n'était pas pour lui plaire que je faisais cela, mais pour l'amour de Paul, et parce que je ne voulais pas gâcher sa vie, et que je la détesterais toujours. Elle a souri de nouveau et elle est partie.

Oh! Comment puis-je le supporter? Je ne savais pas qu'on pouvait souffrir autant!

Le 18 août

Je l'ai fait. J'ai écrit à Paul aujourd'hui. Je savais que je devais lui apprendre la nouvelle par lettre, parce que en personne, il ne m'aurait pas crue. J'avais peur de ne pas pouvoir y arriver, même par lettre. Je suppose qu'une femme intelligente n'aurait pas eu de difficulté, mais je suis si sotte. J'ai écrit plusieurs lettres et les ai toutes déchirées, parce que j'étais certaine qu'elles ne convaincraient pas Paul. J'ai fini par en écrire une qui convenait. Je savais qu'il fallait que je fasse semblant d'être très frivole et sans cœur, sinon il ne me croirait pas. J'ai fait exprès d'ajouter des fautes d'orthographe et de grammaire. Je lui ai dit qu'il n'avait été qu'une amourette et qu'il y avait un autre type chez moi que je préférais. J'ai écrit type parce que je savais que cela le dégoûterait. J'ai dit que c'était seulement parce qu'il était riche que j'avais été tentée de l'épouser.

Je pensais que mon cœur allait se briser en écrivant ces affreux mensonges. Mais je le faisais par amour pour lui, pour ne pas gâcher sa vie. Sa mère m'avait dit que j'aurais été un boulet. J'aime tant Paul que je ferais n'importe quoi pour ne pas l'être. Ce serait facile de mourir pour lui, mais je ne vois pas comment je pourrai continuer à vivre. Je pense que ma lettre va le convaincre.

Je suppose que c'est ce qui s'est passé, car il n'y avait rien d'autre d'écrit dans le petit cahier marron. Quand nous eûmes fini de lire, nous avions le visage inondé de larmes.

«Oh! Pauvre chère Mlle Emily, sanglota Diana. Je m'en veux tellement de l'avoir trouvée ridicule et indiscrète.»

«Elle était bonne, forte et courageuse, dis-je. Jamais je n'aurais pu être aussi généreuse.»

Et je pensai aux vers de Whittier:

«Nous ne voyons que les apparences,
Le reste nous demeure caché.»

Au dos du petit cahier, nous trouvâmes un croquis à l'aquarelle fanée représentant une jeune fille mince et jolie, avec de grands yeux bleus et une longue et adorable chevelure dorée. Le nom de Paul Osborne, d'une encre presque effacée, était écrit dans un angle.

Nous avons tout replacé dans la boîte. Ensuite, nous sommes restées longtemps assises près de la fenêtre, en silence, à réfléchir à plusieurs choses, jusqu'à ce qu'un crépuscule pluvieux fasse disparaître le monde extérieur.

9

À la manière de Sara

Un chaud soleil de juin, filtrant à travers les branches des pommiers aux fleurs d'un blanc virginal, et à travers les carreaux brillants des fenêtres, dessinait une mosaïque fantastique sur l'impeccable parquet de cuisine de Mme Eben Andrew. Par la porte ouverte, une brise entrait, embaumant du parfum des vergers et des champs de trèfle et, par la fenêtre, Mme Eben et son invitée pouvaient apercevoir la longue vallée brumeuse qui descendait en pente douce jusqu'à la mer scintillante.

Mme Jonas Andrew passait l'après-midi chez sa belle-sœur. C'était une grosse femme robuste aux joues pleines et vermeilles et aux grands yeux bruns rêveurs. À l'époque où elle était une svelte jeune fille rose et blanche, ces yeux-là avaient été très romantiques. À présent, ils avaient si peu à voir avec le reste de son apparence qu'ils étaient ridicules.

Mme Eben, assise de l'autre côté de la petite table à thé qui avait été tirée près de la fenêtre, était une femme menue et maigrichonne, au nez aquilin et aux yeux d'un bleu délavé. Elle avait l'air d'une femme tenace et déterminée.

«Comment Sara aime-t-elle enseigner à Newbridge?» demanda Mme Jonas, se servant une deuxième tranche de l'incomparable gâteau aux fruits foncé de Mme Eben et faisant par le fait même un subtil compliment que sa belle-sœur ne manqua pas d'apprécier.

«Eh bien, j'imagine que ça lui plaît, davantage qu'à White Sands, en tout cas, répondit Mme Eben. Oui, j'pense que ça lui convient. C'est évidemment loin d'ici, à pied. Je pense qu'elle aurait mieux fait de continuer à loger chez les Morrison comme elle l'a fait tout l'hiver, mais Sara tient à être à la maison autant qu'elle le peut. Et je dois dire qu'elle aime bien marcher.»

«J'étais chez la tante de Jonas à Newbridge hier soir, reprit Mme Jonas, et elle m'a raconté qu'elle avait entendu dire que Sara avait fini par décider d'épouser Lige Baxter et qu'ils allaient se marier à l'automne. Elle m'a demandé si c'était vrai. J'ai répondu que je n'en savais rien, mais que j'espérais bien que oui. Est-ce vrai, Louisa?»

«Absolument pas, répondit tristement Mme Eben. Sara n'est pas plus décidée qu'avant à épouser Lige. Et je t'assure que je n'y suis pour rien. J'ai gaspillé ma salive à parler et à discuter avec elle. Tu peux me croire, Amelia, je suis extrêmement déçue. Je m'étais faite à l'idée que Sara épouserait Lige, et quand je pense que ça ne se fera pas!»

«C'est une idiote, déclara judicieusement Mme Jonas. Si Lige Baxter n'est pas assez bon pour elle, qui le sera?»

«Et il est riche, poursuivit Mme Eben, il fait de si bonnes affaires et a une si bonne réputation. Et cette belle maison neuve qu'il a à Newbridge, avec des fenêtres en saillie et des planchers de bois dur! J'ai tellement rêvé que Sara devienne la maîtresse des lieux!»

«Ton rêve peut encore se réaliser», la rassura Mme Jonas qui voyait toujours les choses d'un œil optimiste, même l'esprit de contradiction de Sara. Mais elle aussi se sentait découragée. Eh bien, elle avait pourtant fait de son mieux.

Si le potage de Lige Baxter était gâché, ce n'était pas faute de cuisiniers. Tous les Andrew d'Avonlea s'étaient efforcés pendant deux ans de faire aboutir son mariage avec Sara, et Mme Jonas avait vaillamment fait sa part.

La réponse découragée de Mme Eben fut interrompue par

l'arrivée de Sara. La jeune fille resta un moment dans l'embrasure de la porte en regardant ses tantes d'un air légèrement amusé. Elle savait parfaitement bien qu'elles venaient de parler d'elle car Mme Jonas, qui ne pouvait jamais cacher ses sentiments, avait l'air coupable et Mme Eben n'avait pas été capable de faire totalement disparaître son expression chagrinée.

Sara rangea ses livres, embrassa la joue rose de Mme Jonas et prit place à la table. Mme Eben lui apporta du thé frais, quelques petits pains chauds et un petit pot de gelée d'abricots que Sara aimait et coupa d'autres tranches de gâteau aux fruits. L'esprit de contradiction de Sara avait beau lui faire perdre patience, elle ne la gâtait et dorlotait pas moins car, pour elle qui n'avait pas d'enfant, cette jeune fille était la prunelle de ses yeux.

Si Sara Andrews n'était pas, à strictement parler, jolie, elle avait pourtant ce petit quelque chose qui faisait que les gens se retournaient sur son passage. Sa chevelure foncée avait une nuance riche et crépusculaire, ses yeux au regard profond étaient d'un brun velouté et elle avait les lèvres et les joues vermeilles. Après avoir dévoré les petits pains et la confiture avec un bel appétit que sa longue marche depuis Newbridge avait encore aiguisé, elle raconta d'amusantes anecdotes sur sa journée à l'école; les deux dames se tordirent de rire tout en échangeant de timides regards exprimant à quel point elles étaient fières de son intelligence.

Quand la théière fut vide, Sara versa le reste de la crème dans une soucoupe.

«Il faut que j'aille nourrir mon chat», déclara-t-elle en quittant la pièce.

«Cette fille me renverse, soupira Mme Eben, perplexe. Tu sais, le chat noir que nous avons depuis deux ans? Eben et moi l'avons toujours beaucoup aimé, mais Sara semblait éprouver une véritable aversion à son égard. Jamais il ne pouvait faire un somme tranquille sous le poêle quand elle était à la maison. Il fallait qu'elle le mette dehors. Eh bien, il y a quelque temps, il s'est cassé accidentellement la patte et nous avons pensé qu'il valait mieux le faire tuer. Mais Sara n'a jamais voulu en entendre parler. Elle lui a placé la patte entre des éclisses et la lui a adroitement bandée; depuis, elle veille sur lui comme sur un enfant malade. Il est rétabli, à présent, et elle le traite aux petits oignons. Elle est comme ça. Si je te disais qu'elle a soigné des poulets malades pendant une semaine, leur donnant des pilules et toutes sortes de choses! Et elle préfère ce veau mal fichu qui s'est empoisonné à toutes les autres bêtes du troupeau.»

À mesure que l'été s'écoulait, Mme Eben essayait de se résigner à la destruction de ses châteaux en Espagne. Elle grondait néanmoins Sara considérablement.

«Sara, pourquoi est-ce que tu n'aimes pas Lige? Je suis sûre que c'est un jeune homme modèle.»

«Je n'aime pas les garçons modèles, rétorqua Sara avec impatience. Et je crois vraiment que je déteste Lige Baxter. On me l'a toujours présenté comme un tel parangon de vertus. J'en ai assez d'entendre parler de ses perfections. Je les connais toutes par cœur. Il ne boit pas, ne fume pas, ne vole pas, ne ment pas, ne se met jamais en colère, ne jure pas et fréquente régulièrement l'église. Un être aussi parfait me tomberait certainement sur les nerfs. Non, non, tu devras trouver une autre maîtresse pour sa nouvelle maison à Newbridge, tante Louisa.»

Quand les pommiers qui avaient été roses et blancs en juin prirent en octobre une teinte rousse et ocrée, Mme Eben organisa une réunion de courtepointe. La courtepointe en question était du modèle «Étoile du soir», que les dames d'Avonlea considéraient comme ravissant. Mme Eben avait eu l'intention de la mettre dans le «trousseau» de Sara et, tout en assemblant les losanges rouges et blancs, elle s'était régalé l'esprit en l'imaginant étalée sur le lit de la chambre d'ami dans la nouvelle maison de Newbridge et en se voyant en train d'y poser son bonnet et son châle quand elle rendrait visite à Sara. Ces visions éblouissantes avaient perdu leur éclat à l'époque des pommiers en fleurs et Mme Eben avait à peine eu le cœur de finir la courtepointe.

La réunion se tint un samedi après-midi, car Sara n'enseignait pas ce jour-là. Toutes les meilleures amies de Mme Eben étaient installées autour de la courtepointe et les langues allaient bon train. Sara entrait et sortait, donnant un coup de main à sa tante pour les préparatifs du souper. Elle se trouvait dans la pièce, en train de sortir de l'étagère les plats de crème caramel, quand Mme George Pye fit son entrée.

Mme George avait le don d'être toujours en retard. Elle était pourtant ce jour-là plus en retard que d'habitude et elle avait l'air survoltée. Toutes les femmes présentes autour de la courtepointe comprirent que Mme George avait des nouvelles dignes d'intérêt. Un silence fébrile tomba donc sur la pièce pendant qu'elle tirait sa chaise et s'installait à la courtepointe.

C'était une grande femme maigre avec un long visage pâle et des yeux d'un vert liquide. Elle regardait le cercle avec l'air d'un chat se pourléchant devant une bouchée de choix.

«Je suppose, commença-t-elle, que vous connaissez la nouvelle?»

Elle savait parfaitement que non. Toutes arrêtèrent de coudre. Mme Eben arriva à la porte, un plateau de galettes gonflées et fumantes à la main. Sara cessa de compter les plats et tourna son visage au teint vermeil par-dessus son épaule. Même le chat noir, à ses pieds, arrêta de lisser sa fourrure. Mme George sentit que tout l'auditoire était suspendu à ses lèvres.

«Les frères Baxter ont fait faillite, annonça-t-elle, ses yeux verts lançant des étincelles. Une faillite déshonorante.»

Elle se tut un instant puis, voyant que ses auditrices étaient muettes de surprise, elle poursuivit:

«George rentrait de Newbridge au moment où je partais, et il m'a appris la nouvelle. On m'aurait jetée à terre d'une pichenette. Moi qui croyais que cette firme était aussi solide que le roc de Gibraltar! Pourtant, les voilà ruinés, absolument ruinés! Ma chère Louisa, peux-tu me donner une bonne aiguille?»

La chère Louisa avait brusquement posé son plateau de biscuits, sans ce soucier du résultat. Un tintement métallique aigu résonna dans le placard, où Sara avait cogné le bord de son plateau contre une étagère. Ce bruit sembla délier les langues paralysées et tout le monde se mit à parler en même temps. La voix claire et perçante de Mme George dominait la confusion.

«Oui, en effet, vous pouvez le dire. C'est déshonorant! Et quand on pense que tout le monde leur faisait confiance! Cette faillite va faire perdre pas mal d'argent à George et à plusieurs autres personnes. Tout devra être vendu, la ferme de Peter Baxter et la grande maison neuve de Lige. J'imagine que cela va rabattre le caquet de Mme Peter. George a vu Lige à Newbridge et il dit qu'il avait l'air épouvantablement abattu et humilié.»

«Quelle est la personne ou la chose à blâmer pour cette faillite?» demanda sèchement Mme Rachel Lynde qui n'aimait pas Mme George Pye.

«Il y a une douzaine d'explications différentes, répondit cette dernière. D'après ce que George a pu comprendre, Peter Baxter a spéculé avec l'argent des autres, et voilà le résultat. Tout le monde se doutait que Peter était un escroc, mais on croyait que Lige l'aurait fait marcher droit. Il avait toujours eu une telle réputation de sainteté.»

«J'imagine que Lige n'en savait rien», s'écria Mme Rachel avec indignation.

«Eh bien, il aurait dû le savoir. S'il n'est pas un filou, il est un fou, déclara Mme Harmon Andrews qui avait été une de ses plus chaudes partisanes. Il aurait dû surveiller Peter et découvrir comment les affaires étaient administrées. Ma foi, Sara, je dois admettre que tu as été la plus sensée. Quel gâchis si tu avais été mariée ou fiancée à Lige à présent qu'il n'a plus un sou devant lui, même s'il n'a rien à se reprocher!»

«On jase beaucoup de l'escroquerie de Peter, poursuivit Mme George, on prétend même qu'il y aura un procès. La plupart des gens de Newbridge pensent que tout est la faute de Peter et que Lige n'est pas à blâmer. Mais on ne sait

jamais. Je dirais que Lige est dans d'aussi mauvais draps que
Peter. À mon avis, il a toujours été un petit peu trop bon
pour être sain.»

On entendit la vaisselle s'entrechoquer dans l'étagère
quand Sara posa son plateau. Elle s'avança et vint se placer
derrière la chaise de Mme Rachel Lynde, ses fines mains sur
les larges épaules de la dame. Son visage était livide, mais ses
yeux lançaient des éclairs en direction des prunelles de chat
de Mme George Pye. Sa voix vibrait de passion et de mépris.

«Vous aurez toutes quelque chose à dire contre Lige
Baxter, à présent qu'il est tombé. Avant, vous ne tarissiez pas
d'éloges à son sujet. Je ne vais pas rester là à laisser insinuer
que Lige Baxter est malhonnête. Vous savez toutes parfaitement qu'il n'y a pas plus probe que Lige, même s'il a le
malheur d'avoir un frère dénué de principes. Vous, Mme Pye,
le savez mieux que quiconque et cela ne vous empêche pas
de venir ici le dénigrer dès qu'il a des ennuis. Si un autre mot
est prononcé contre Lige Baxter, je vais quitter cette pièce et
cette maison jusqu'à ce que vous soyez toutes parties.»

Elle lança un regard flamboyant autour de la courtepointe,
ce qui fit taire les commérages. Même l'éclat vacilla dans les
yeux de Mme George Pye, puis s'estompa et s'éteignit. Rien
d'autre ne fut dit jusqu'à ce que Sara eut pris les verres et fut
sortie de la pièce. Même alors, elles n'osèrent pas élever le ton
plus haut qu'un chuchotement. Seule Mme Pye, encore sous le
coup de cette rebuffade, se risqua à bafouiller «Que Dieu nous
vienne en aide!» au moment où Sara claquait la porte.

Pendant les deux semaines qui suivirent, les potins et les
rumeurs allèrent bon train tant à Avonlea qu'à Newbridge et
Mme Eben en vint à craindre la vue d'un visiteur.

«Ils risquent tous de parler de la faillite des Baxter et de
critiquer Lige, se plaignit-elle à Mme Jonas. Et cela horripile Sara.
Elle avait l'habitude d'affirmer qu'elle haïssait Lige et voilà
qu'elle ne peut supporter qu'on dise un seul mot contre lui. Ce
n'est pas que j'aie moi-même jamais parlé contre lui. Au
contraire, cela me fait de la peine et je suis convaincue qu'il a fait
de son mieux. Mais je ne peux empêcher les autres de parler.»

Un soir, Harmon Andrews arriva avec des nouvelles fraîches.

«L'affaire Baxter est pratiquement réglée, en fin de compte, dit-il en allumant sa pipe. Peter a été acquitté et a réussi à étouffer les rumeurs d'escroquerie. Faites-lui confiance pour se sortir d'un pétrin lavé de tout blâme. Il n'a pas l'air de s'inquiéter outre mesure, mais Lige ressemble à un squelette ambulant. Certaines gens le prennent en pitié, mais moi je dis qu'il aurait dû mieux gérer ses affaires et ne pas se fier à Peter pour tout. On m'a dit qu'il partait pour l'Ouest au printemps pour s'établir en Alberta et essayer de devenir cultivateur. C'est la meilleure chose qu'il puisse faire, j'imagine. Les gens d'ici en ont assez du clan Baxter. Ce sera un bon débarras pour Newbridge.»

Sara, qui était assise dans le coin sombre près du poêle, se leva brusquement, laissant le chat noir glisser à terre. Mᵐᵉ Eben la regarda avec appréhension, craignant que la jeune fille ne se lance dans une tirade contre le suffisant Harmon. Mais Sara se contenta de sortir violemment de la cuisine; on aurait dit qu'elle avait peine à respirer. Dans le corridor, elle attrapa une écharpe suspendue au mur, ouvrit la porte d'entrée et se rua dehors, dans l'air pur et glacé de ce soir d'automne. Son cœur se serrait de pitié; elle éprouvait toujours la même compassion envers les êtres blessés et tourmentés.

Elle marcha inlassablement, voulant seulement faire taire sa souffrance dans les prés gris et gelés, dans les pentes balayées par le vent et le long des pinèdes sombres et dévastées, enveloppées dans une brume violacée. Sa robe bruissait en frôlant les herbes craquantes et les fougères sèches, et le vent du soir chargé d'humidité qui soufflait du fond des bois ramenait ses cheveux dans son visage. Elle parvint finalement à une petite barrière rustique qui s'ouvrait sur un sentier ombreux. La barrière était attachée avec des feuilles de saule et, comme Sara tâtonnait en vain avec ses mains glacées, le pas ferme d'un homme se fit entendre derrière elle, et la main de Lige Baxter se referma sur la sienne.

«Oh! Lige!» s'écria-t-elle en retenant un sanglot.

Il ouvrit la barrière et la fit entrer. Elle laissa sa main dans la sienne et ils avancèrent dans le sentier où les branches souples des jeunes arbres frôlaient leurs têtes et où l'air embaumait de suaves parfums sylvestres.

«Il y a longtemps que je t'ai vu, Lige», dit-elle enfin.

Lige la regarda tristement dans la pénombre.

«Oui, cela m'a paru très long, Sara. Mais je ne pensais pas que tu avais envie de me voir après ce que tu m'as dit le printemps dernier. Et tu sais combien le sort s'est acharné contre moi. Les gens ont tenu des propos durs. J'ai été malchanceux, Sara, et peut-être trop complaisant, mais j'ai été honnête. Ne crois pas les gens qui te diront le contraire.»

«Je ne les ai jamais crus, pas un seul instant!» protesta Sara avec fougue.

«Je suis heureux de l'entendre. Je pars bientôt. J'ai déjà eu beaucoup de peine quand tu as refusé de m'épouser, Sara. Pourtant, tu as bien fait. Je suis suffisamment un homme pour me sentir soulagé que mes ennuis n'aient pas rejailli sur toi.»

Sara s'arrêta et se tourna vers lui. Devant eux, l'allée s'ouvrait sur un champ et le lac limpide d'un ciel couleur crocus éclairait faiblement la pénombre. Une nouvelle lune brillait, comme un cimeterre d'argent. Sara l'aperçut au-dessus de son épaule gauche, et elle vit le visage de Lige devant elle, tendre et troublé.

«Lige, demanda-t-elle doucement, est-ce que tu m'aimes encore?»

«Tu sais bien que oui», répondit-il tristement.

Sara ne voulait rien de plus. Elle se nicha aussitôt dans ses bras et posa contre la joue froide de Lige la sienne, chaude et mouillée de larmes.

Quand le clan Andrews apprit avec stupéfaction que Sara allait épouser Lige Baxter et partir pour l'Ouest avec lui, on leva les mains et hocha la tête. Mme Jonas gravit la colline en haletant pour se faire confirmer la rumeur. Elle trouva Mme Eben en train de faufiler une courtepointe du modèle «Chaîne irlandaise» comme s'il y allait de sa vie, tandis que Sara assemblait les losanges d'une autre «Étoile du soir» avec un air de martyre. Sara avait vraiment horreur de coudre les courtepointes, mais Mme Eben avait, jusqu'à un certain point, son mot à dire.

«Tu dois faire cette courtepointe, Sara Andrews. Si tu t'en vas vivre dans ces prairies, tu auras besoin de piles de courtepointes et tu les auras, même si je dois m'user les doigts jusqu'à l'os. Mais il faut que tu m'aides à les faire.»

Et il le fallait vraiment.

Quand Mme Jonas arriva, Mme Eben envoya la jeune fille au bureau de poste pour ne pas l'avoir dans les jambes.

«Je suppose que c'est vrai, cette fois?» demanda Mme Jonas.

«En effet, répondit vivement Mme Eben. Sara est décidée. Comme il est inutile d'essayer de lui faire changer d'idée, tu le sais aussi bien que moi, j'en suis arrivée à la conclusion qu'il fallait tirer le meilleur parti possible de la situation. Je ne suis pas du genre à virer mon capot de bord. Lige Baxter est toujours Lige Baxter, ni plus ni moins. J'ai toujours dit qu'il était un bon jeune homme, et je continue à le dire. Après tout, lui et Sara ne seront pas plus pauvres qu'Eben et moi l'étions quand nous nous sommes mariés.»

Mme Jonas poussa un soupir de soulagement.

«Cela me fait vraiment plaisir que tu prennes les choses de cette façon, Louisa. Je ne suis pas mécontente non plus, même si Mme Harmon m'arracherait les oreilles si elle m'entendait. J'ai toujours aimé Lige. Mais je dois dire que j'ai été estomaquée quand je l'ai appris, après la façon dont Sara avait l'habitude de le dénigrer.»

«Ma foi, nous aurions dû nous y attendre, répondit Mme Eben avec sagesse. Sara a toujours été comme ça. Elle est toujours touchée au cœur quand une créature tombe malade ou a des ennuis. On peut donc affirmer que, tout compte fait, la faillite de Lige Baxter a été un succès.»

10

Le fils bien-aimé

Thyra Carewe attendait le retour de Chester. Immobile comme à l'accoutumée, elle était assise près de la fenêtre ouest de la cuisine et regardait dehors l'ombre envahir le paysage. Jamais elle ne remuait d'un poil. Qu'importe ce qu'elle faisait, elle y mettait toute l'intensité de son caractère. Quand elle était assise immobile, impossible de l'être davantage.

«Un monument de pierre aurait l'air remuant à côté de Thyra, commenta Mme Cynthia White, sa voisine d'en face. Cela me tombe sur les nerfs de la voir assise à sa fenêtre, parfois, sans bouger davantage qu'une statue, ses grands yeux brûlants fixant le sentier. Lorsque je lis le commandement "Un seul Dieu tu adoreras", je vous assure que je pense toujours à Thyra. Elle vénère son fils beaucoup plus que son Créateur. Elle sera pourtant punie.»

Mme White surveillait à présent Thyra tout en tricotant avec vigueur pour ne pas perdre une minute de son temps. Quant à Thyra, elle avait les mains oisivement croisées sur ses genoux. Elle n'avait pas bougé un muscle depuis qu'elle s'était assise. Mme White se plaignait que cela lui donnait la chair de poule.

«Cela n'a pas l'air naturel de voir une femme assise aussi

immobile, disait-elle. Parfois je me demande si elle n'a pas eu une attaque, comme son vieil oncle Horatio, et si elle n'est pas morte sur sa chaise.»

Cette soirée d'automne était fraîche. Là où le soleil s'était couché, on voyait l'horizon se teinter de rouge flamme et, plus haut, dans un ciel clair de couleur safran, se profilaient les récifs violets et noirs des nuages. La rivière qui coulait près de la maison des Carawe était livide. Plus loin, la mer paraissait sombre et maussade. C'était une soirée à donner des frissons, laissant présager un hiver précoce. Mais Thyra aimait cela, de la même façon qu'elle aimait toutes les choses à la beauté rude et austère. Elle ne voulait pas allumer de lampe car sa lumière aurait estompé la sauvage splendeur de la mer et du ciel. Elle préférait attendre dans le noir le retour de Chester.

Il était en retard, ce soir. Elle pensa qu'il avait été retenu au port, mais elle n'était pas inquiète. Il rentrerait directement à la maison dès que ses affaires seraient réglées, elle n'en doutait pas. Sa pensée se porta à sa rencontre le long du chemin blême du port. Elle l'apercevait distinctement, marchant de son pas souple dans les vallons sablonneux et sur les collines venteuses, dans l'austère et froide lueur de ce crépuscule, robuste et beau dans son attrayante jeunesse, avec ce menton fendu qu'il tenait d'elle et les yeux gris fer et le regard droit de son père. Aucune autre femme à Avonlea n'avait un fils comparable au sien, son fils unique. Lors de ses brèves absences, elle languissait de lui avec une passion maternelle si intense qu'elle ressemblait à une douleur physique. Avec une pitié méprisante, elle pensa à Cynthia White qui tricotait de l'autre côté du chemin. Cette femme n'avait pas de fils, seulement des filles au teint pâlot. Thyra n'avait jamais désiré avoir une fille, mais elle prenait en pitié et méprisait toutes les femmes sans fils.

Le chien de Chester fit soudain entendre un gémissement perçant de l'autre côté de la porte. Il était fatigué d'attendre sur la pierre froide et aspirait à son coin chaud près du poêle. Thyra esquissa un sourire mélancolique en l'entendant. Elle n'avait aucunement l'intention de le laisser entrer. Elle prétendait avoir toujours détesté les chiens, mais la vérité, même si elle ne l'aurait jamais admis, était qu'elle haïssait ce chien à cause de l'affection que Chester lui portait. Elle ne pouvait partager son amour, même avec une bête stupide. Elle n'aimait aucun être vivant à l'exception de son fils et exigeait en retour un amour identique. C'est pourquoi il lui plaisait d'entendre geindre le chien de Chester.

L'obscurité était à présent totale. Les étoiles avaient commencé à scintiller au-dessus des champs dépouillés, et Chester n'était pas encore rentré. Cynthia White avait baissé le store, désespérée d'observer Thyra, et avait allumé une lampe. Les silhouettes vivantes des petites filles passaient et repassaient en ombres chinoises dans le pâle ovale de lumière. En les voyant, Thyra prit conscience de son extrême solitude. Elle venait de décider d'aller jusqu'au pont attendre Chester quand on frappa violemment à la porte de côté.

À cette façon de frapper, elle reconnut August Vorst et alluma une lampe sans trop se hâter, car elle n'aimait pas cet homme. Il était une grande langue et Thyra avait horreur des potins, qu'ils fussent colportés par des hommes ou par des femmes. Mais August jouissait de certains privilèges.

Elle prit la lampe et alla ouvrir. La lumière qui éclairait son visage par devant lui conférait un air spectral. Elle n'avait pas l'intention de le prier d'entrer, mais il la bouscula avec bonne humeur sans attendre d'être invité. C'était un petit bout d'homme bossu qui boitait d'un pied, aux yeux malicieux, noirs et enfoncés, et au visage blême et juvénile malgré sa quarantaine.

Il tira un journal froissé de sa poche et le tendit à Thyra. C'était le facteur officieux à Avonlea. La plupart des gens lui donnaient quelques sous pour apporter leurs lettres et leurs journaux du bureau de poste. Il gagnait de petites sommes en effectuant d'autres tâches, ce qui lui permettait de garder en vie son corps malingre. Il y avait toujours du venin dans les ragots d'August. On disait qu'il faisait plus de mal à Avonlea en une journée qu'il s'en faisait ailleurs en une année, mais les gens le toléraient à cause de son infirmité. C'était évidemment la sorte de condescendance qu'on témoigne aux créatures inférieures, et August le sentait bien. Cela comptait peut-être pour beaucoup dans sa malice. Plus les gens se montraient bons pour lui, plus il les haïssait et Thyra Carawe était la personne qu'il détestait le plus. Il haïssait également Chester de cette haine qu'il éprouvait à l'égard des personnes fortes et bien constituées. Son heure était venue de les blesser tous les deux et sa joie irradiait par son corps chétif et ses traits pincés comme une lampe incandescente. Thyra perçut qu'il se tramait quelque chose contre elle. Elle désigna la chaise berceuse comme elle aurait désigné le paillasson à un chien.

August y prit place en souriant. Il allait faire frémir cette femme qui le regardait de haut comme s'il était un ver de terre qu'elle dédaignait d'écraser de son pied.

«Vous n'avez pas aperçu Chester en chemin? demanda Thyra, donnant ainsi à August l'entrée en matière qu'il souhaitait. Il s'est rendu au port après le thé pour rencontrer Joe Raymond à propos de la location de son bateau, mais il y a longtemps qu'il devrait être de retour. Je ne vois pas ce qui peut le retenir.»

«Seulement ce qui retient la plupart des hommes, sauf les créatures comme moi, à un moment ou à un autre de leur vie. Une fille, une jolie fille, Thyra. Un plaisir pour les yeux. Même un bossu a des yeux pour regarder, pas vrai? Oh! Celle-là est une beauté rare.»

«Qu'est-ce qu'il raconte?» demanda Thyra, déconcertée.

«Damaris Garland, évidemment. Chester est actuellement chez Tom Blair, en train de placoter avec elle, et son air en dit plus que sa langue, vous pouvez en être sûre. Eh bien, eh bien, on a tous été jeunes un jour, Thyra, tous été jeunes, même August Vorst, le petit bossu, pas vrai?»

«De quoi parlez-vous?» insista Thyra.

Elle s'assit sur une chaise en face de lui et croisa les mains sur ses genoux. Son visage était pâle comme d'habitude, mais ses lèvres étaient curieusement exsangues. August Vorst s'en aperçut et il fut content. Pour ceux qui se plaisent à faire mal, ses yeux valaient également la peine d'être vus, et faire mal était le seul plaisir d'August dans la vie. Il allait déguster sa vengeance pour toutes ces années où cette femme lui avait manifesté une bonté méprisante, oui, il la boirait lentement, comme une coupe de volupté. Une gorgée à la fois, se dit-il en frottant ses mains blanches et décharnées, une gorgée à la fois, savourant chacune avec délices.

«Vous le savez aussi bien que moi, Thyra.»

«Je ne sais absolument pas de quoi vous parlez, August Vorst. Vous semblez insinuer que mon fils et Damaris... quel est son nom, déjà?... Damaris Garland sont attirés l'un par l'autre. Je vous demande ce que vous voulez dire.»

«Tut tut, Thyra, rien de vraiment terrible. Inutile de prendre cet air-là. Les jeunes gens vont être des jeunes gens jusqu'à la fin des temps, et il n'y a pas de mal à ce que Chester s'intéresse à une demoiselle, pas vrai? Ni à ce qu'il parle avec elle? Un beau brin de fille aux lèvres rouges! Elle et Chester vont faire un beau petit couple. Il n'est pas si mal, pour un homme, Thyra.»

«Je ne suis pas une femme très patiente, August, reprit froidement Thyra. Je vous ai demandé ce que vous vouliez dire et je veux une réponse claire. Est-ce que Chester se trouve chez Tom Blair pendant que j'attends ici toute seule?»

August hocha la tête. Il comprit que ce ne serait pas sage de continuer à agacer Thyra.

«En effet. Je suis passé par là avant de venir ici. Chester et Damaris étaient assis tout seuls dans un coin et ils avaient l'air contents d'être ensemble. Tut tut, Thyra, ne prenez pas la chose comme ça. Je pensais que vous étiez au courant. C'est un secret pour personne que Chester court après Damaris depuis qu'elle est arrivée ici. Mais qu'est-ce que ça peut bien faire? Vous ne pouvez quand même pas le garder toujours attaché aux cordons de votre tablier. Il va bien finir par se trouver une compagne. Comme c'est un bon garçon bien bâti, il ne fait pas de doute que Damaris va le trouver à son goût. La vieille Martha Blair prétend que la jeune fille tient déjà à lui comme à la prunelle de ses yeux.»

Thyra fit entendre un gémissement étranglé au milieu des paroles d'August. Elle écouta le reste sans broncher. Quand il eut terminé, elle se leva et lui jeta un regard qui le réduisit au silence.

«Vous avez dit ce que vous aviez à dire, et ça vous a fait plaisir. À présent, partez», ordonna-t-elle lentement.

«Écoutez, Thyra», commença-t-il, mais elle l'interrompit d'un air menaçant.

«Je vous ai dit de partir! Et il est inutile de revenir ici m'apporter mon courrier. Je ne veux plus jamais voir votre corps malingre ni entendre votre langue de vipère.»

August se leva pour partir mais, arrivé à la porte, il se tourna vers elle pour lui assener le coup fatal.

«J'ai pas une langue de vipère, Mme Carawe. Je vous ai dit la vérité et tout Avonlea est au courant. Chester est fou de Damaris Garland. Rien d'étonnant à ce que j'aie cru que vous saviez ce que tout le village connaît. Mais vous êtes une bonne femme si jalouse que je suppose que votre garçon vous l'a caché de peur de subir une crise. Pour ma part, je n'oublierai jamais que vous m'avez mis à la porte parce que j'ai osé vous annoncer une nouvelle que vous ne vouliez pas savoir.»

Thyra ne lui répondit pas. Quand la porte fut refermée derrière lui, elle la verrouilla et souffla la lampe. Elle s'effondra alors sur le canapé et éclata en sanglots frénétiques. Elle avait mal jusqu'à l'âme. Ses larmes étaient aussi fougueuses et déraisonnables que celles d'une jeune fille, même si elle avait depuis longtemps passé cet âge. C'était comme si elle craignait de devenir folle si elle cessait de pleurer. Mais ses larmes finirent par se tarir et elle se mit à se répéter, pleine d'amertume, chacune des paroles d'August Vorst.

Il n'était jamais venu à l'esprit de Thyra que son fils pût devenir amoureux d'une jeune fille. Elle n'aurait jamais cru possible qu'il aimât une autre femme qu'elle, elle qui l'aimait tant. Et voilà que cette possibilité prenait possession de son esprit aussi subtilement, froidement et impitoyablement qu'un brouillard sournois monte de l'océan jusqu'à la terre.

À la naissance de Chester, elle avait l'âge où la plupart

des femmes laissent leurs enfants voler de leurs propres ailes; elles versent bien sûr des larmes et ont le cœur brisé, mais elles les libèrent de bon cœur après avoir profité de leurs plus belles années. Survenue sur le tard, la maternité de Thyra en était devenue encore plus intense et passionnée. Ayant été très malade à la naissance de son fils, elle avait dû garder le lit pendant de longues semaines durant lesquelles d'autres femmes avaient pris soin du bébé à sa place. Elle n'avait jamais pu le leur pardonner.

Chester n'avait pas encore un an à la mort de son père. Thyra avait mis son fils dans les bras du père agonisant qui l'avait béni pour la dernière fois avant de le rendre à sa mère. Pour Thyra, ce moment comportait quelque chose de sacré. C'était comme si son fils lui avait été doublement donné et qu'elle avait sur lui un droit que rien ne pourrait jamais lui enlever, que rien ne pourrait jamais transcender.

Le mariage! Elle n'y avait jamais songé pour Chester. Il n'était pas de la race des maris. Son père avait soixante ans quand il l'avait épousée, et elle n'était alors pas de la première jeunesse non plus. Rares étaient les Lincoln ou les Carawe qui s'étaient mariés jeunes et plusieurs ne s'étaient pas mariés du tout. Et Thyra considérait toujours Chester comme son bébé. Il n'appartenait qu'à elle.

Et voilà qu'une autre femme avait osé poser sur lui les yeux de l'amour. Damaris Garland! Thyra se rappelait à présent l'avoir déjà rencontrée. Sa mère était morte récemment et elle était venue habiter chez son oncle et sa tante. Un mois auparavant, Thyra l'avait un jour croisée sur le pont. Oui, un homme pouvait la trouver jolie; elle avait le front bas, des cheveux ondulés, d'un roux doré et des lèvres vermeilles faisant ressortir la blancheur étrangement laiteuse de sa peau. Thyra se souvenait également de ses yeux, d'une teinte noisette, profonds et rieurs.

Lorsque la jeune fille était passée près d'elle, elle lui avait adressé un sourire qui avait creusé plusieurs fossettes dans son visage. Son attitude reflétait une jeunesse satisfaite d'elle-même et elle offrait sa beauté à tous les regards. Mais c'était vrai qu'elle était charmante à regarder, concéda Thyra en mesurant les charmes de cette créature éblouissante.

Et ce soir, pendant que sa mère l'attendait dans le noir et la solitude, Chester se trouvait chez les Blair en train de bavarder avec cette fille! Il l'aimait, et il ne faisait aucun doute qu'elle l'aimait aussi. Pour Thyra, cette pensée était plus cruelle que la mort. Cette fille osait! Car c'était contre elle que la rage de Thyra était dirigée. Elle avait posé un piège et Chester, comme un imbécile, s'y était laissé prendre, ne pensant, comme tous les hommes, qu'à ses grands yeux et à ses lèvres rouges. Thyra eut une pensée sauvage pour la beauté de Damaris.

«Elle ne l'aura pas, prononça-t-elle lentement, sur un ton théâtral. Jamais je ne le laisserai à une autre femme, et à elle moins qu'à tout autre. Elle prendrait toute la place dans son cœur et il n'en resterait plus pour moi, sa mère, qui ai failli mourir pour lui donner la vie. Il m'appartient! Qu'elle prenne le fils d'une autre femme, une femme qui a plusieurs garçons. Elle n'aura pas mon fils unique!»

Elle se leva, s'enveloppa la tête dans un châle et sortit dans la nuit sombre et mordorée. Les nuages avaient été balayés et la lune brillait. L'air était glacial, d'une clarté hivernale. Les aulnes qui poussaient le long de la rivière bruissèrent de façon irréelle lorsqu'elle passa à côté et s'engagea sur le pont. Arrivée là, elle se mit à marcher de long en large, scrutant la route de son regard troublé, ou se penchant par-dessus la balustrade, contemplant la lueur argentée de la lune qui clignotait sur les flots noirs. Passant près d'elle, des promeneurs tardifs s'interrogèrent sur la raison de sa présence sur le pont et de son étrange contenance. Carl White la vit et en parla à sa femme à son retour chez lui.

«Elle arpentait le pont comme une folle. Pour commencer, je l'ai prise pour cette vieille cinglée de May Blair. À ton avis, qu'est-ce qu'elle faisait là à cette heure de la nuit?»

«Elle attendait Ches, évidemment, répondit Cynthia. Il n'est pas encore rentré. Il est probablement fourré chez les Blair. Je me demande si Thyra se doute qu'il court après

Damaris. Je n'ai jamais osé y faire allusion devant elle. Elle serait bien capable de se jeter sur moi, toutes griffes dehors.»

«Ma foi, elle a choisi une drôle de nuit pour contempler la lune, reprit Carl qui avait le sens de l'humour et voyait toujours le côté cocasse des choses. C'est rudement froid ce soir, et il va geler. C'est vraiment dommage qu'elle ne puisse se faire à l'idée que son gars a grandi et qu'il doit vivre sa jeunesse comme les autres. Elle va finir par devenir folle comme sa vieille grand-mère Lincoln, si elle ne se calme pas les nerfs. J'ai envie d'aller au pont essayer de la raisonner un peu.»

«Il n'en est pas question! s'écria Cynthia. Il vaut mieux laisser Thyra Carawe toute seule si elle est en crise. Elle ne ressemble à aucune femme d'Avonlea ou d'ailleurs. J'aimerais mieux affronter un tigre si elle est en train de se déchaîner contre Chester. Je n'envie pas le sort de Damaris si elle entre dans cette famille. Thyra aura tôt fait de l'étrangler, j'imagine.»

«Vous autres, les femmes, vous vous montrez terriblement dures avec Thyra», répliqua Carl, qui avait une bonne nature. Il avait lui-même été amoureux de Thyra, autrefois, et il continuait à éprouver de l'amitié pour elle. Il se portait toujours à sa défense quand les femmes d'Avonlea l'attaquaient. Il se sentit troublé toute la soirée en repensant à la façon dont elle arpentait le pont. Il regretta de ne pas y être retourné, malgré Cynthia.

Rentrant chez lui, Chester rencontra sa mère sur le pont. Ils se ressemblaient étrangement dans la lumière faible mais pénétrante de la lune; Chester avait toutefois une expression plus douce. Il était très beau. Malgré sa douleur et sa jalousie, cette beauté toucha le cœur de Thyra. Bien qu'elle eût aimé prendre ce visage dans ses mains et le caresser, ce fut pourtant d'une voix très âpre qu'elle lui demanda d'où il venait si tard.

«Je me suis arrêté chez Tom Blair en revenant du port», répondit Chester en essayant de continuer à marcher. Mais elle le retint par le bras.

«Est-ce que tu vas là pour voir Damaris?» demanda-t-elle avec hargne.

Chester se sentait mal à l'aise. Il avait beau chérir sa mère, il éprouvait et avait toujours éprouvé un respect mêlé de crainte à son égard, et sa façon dramatique de parler et de se comporter l'impatientait. Il songea avec amertume qu'aucun autre garçon d'Avonlea revenant d'une visite amicale ne serait attendu par sa mère en pleine nuit ni ne serait mis en demeure de se justifier de cette manière tragique. Il essaya en vain de libérer son bras de son étreinte, tout en comprenant qu'il devait lui donner une réponse. Étant de nature loyale, il lui dit la vérité. Sa voix trahissait cependant une colère nouvelle.

«Oui», répondit-il d'un ton bref.

Thyra relâcha son étreinte et se frappa les mains en faisant entendre un cri perçant. Son cri avait quelque chose de sauvage. À ce moment-là, elle aurait été capable de tuer Damaris Garland.

«Ne le prends pas comme ça, maman, fit Chester avec impatience. Il fait froid, ici. Viens-t'en. Ce n'est pas bon pour toi d'être dehors. Quelle mouche t'a piquée? Qu'est-ce que cela peut faire que j'aie été voir Damaris?»

«Oh! Oh! s'écria Thyra. Je t'attendais, toute seule, tandis que toi, tu ne pensais qu'à elle! Réponds-moi, Chester, est-ce que tu l'aimes?»

«Et qu'est-ce que cela changerait, maman? Ce ne serait quand même pas une chose si épouvantable!»

«Et moi? Et moi? cria Thyra. Qu'est-ce que je représente pour toi, alors?»

«Tu es ma mère. Je ne t'aimerai pas moins parce qu'une autre fille m'intéresse.»

«Je ne te permettrai pas d'en aimer une autre, hurla-t-elle. Je veux tout ton amour! Qu'est-ce que cette petite jeune fille est pour toi, comparée à ta mère? C'est moi qui ai des droits sur toi. Je ne vais pas renoncer à toi.»

Chester savait qu'il était inutile de discuter avec elle quand elle était dans cet état d'esprit. Il se remit en marche, résolu à reprendre la discussion quand elle serait plus raisonnable. Mais Thyra ne l'entendait pas comme ça. Elle lui emboîta le pas sous les aulnes touffus du sentier. Elle tenta de le persuader.

«Promets-moi que tu n'iras plus la voir. Promets-moi que tu vas renoncer à elle.»

«Je ne peux te promettre une telle chose», cria-t-il avec colère.

Cette colère la blessa comme une gifle, mais elle la reçut néanmoins sans broncher.

«Tu n'es pas fiancé avec elle?»

«À présent, calme-toi, maman. Tout le village va t'entendre. Qu'est-ce que tu as contre Damaris? Tu ne sais pas combien elle est gentille. Quand tu la connaîtras...»

«Je ne la connaîtrai jamais! vociféra Thyra, furieuse. Et elle ne t'aura pas! Elle ne t'aura jamais, Chester!»

Il ne répondit rien. Elle éclata soudain en sanglots déchirants. Pris de remords, Chester s'arrêta et la prit dans ses bras.

«Maman, maman, ne pleure pas comme ça. Je ne peux le supporter. Mais tu n'es pas raisonnable, c'est vrai. Tu n'as jamais pensé que je voudrais me marier, un jour, comme les autres hommes?»

«Non, non! Et je refuse, je ne peux pas le supporter, Chester. Tu dois me promettre de ne plus retourner la voir. Je ne rentrerai pas dans la maison avant que tu me l'aies promis. Je vais rester dehors dans le froid jusqu'à ce que tu me promettes de la chasser de tes pensées.»

«C'est au-dessus de mon pouvoir, maman. Oh! maman, tu me rends la tâche difficile. Allez, rentre, maintenant. Tu grelottes de froid. Tu vas être malade.»

«Je n'avancerai pas d'un pas avant que tu ne m'aies fait cette promesse. Dis que tu n'iras jamais plus voir cette fille et il n'y a rien que je ne ferai pas pour toi. Mais si tu la préfères à moi, je n'entrerai pas, je n'entrerai plus jamais dans la maison.»

Proférée par la majorité des femmes, cette menace aurait été vide de sens; mais ce n'était pas le cas pour Thyra, et Chester le savait. Il savait qu'elle tiendrait parole et il craignait qu'elle n'aille encore plus loin. Dans l'état où elle était, jusqu'à quelle extrémité ne pouvait-elle aller? Elle descendait d'une race bizarre et on avait désapprouvé Luke Carawe lorsqu'il l'avait épousée. Il y avait une hérédité de démence chez les Lincoln. Une femme de la famille s'était déjà jetée à l'eau. Songeant à la rivière, Chester se sentit malade de terreur. Pendant un instant, confrontée à ce lien plus ancien, même la passion qu'il éprouvait envers Damaris faiblit.

«Maman, calme-toi. Oh! Tout ceci est inutile. Attendons à demain et nous en reparlerons. J'écouterai ce que tu as à me dire. Mais il faut rentrer à présent, maman chérie.»

Thyra desserra son étreinte et recula dans un espace éclairé par la lune. Le regardant d'un air tragique, elle étendit les bras et parla d'une voix lente et solennelle.

«Choisis entre nous. Si c'est elle que tu choisis, je m'en irai ce soir même et tu ne me reverras jamais plus.»

«Maman!»

«Choisis!» répéta-t-elle d'un ton féroce.

Il éprouva l'ascendant qu'elle exerçait depuis si longtemps sur lui. Il n'était pas possible de secouer le joug d'un seul coup. De toute sa vie, jamais il n'avait désobéi à sa mère. En outre, il la comprenait et l'aimait plus profondément que la plupart des fils aiment leur mère. Il comprit que, puisqu'elle en avait décidé ainsi, son choix était déjà fait, ou plutôt qu'il n'avait pas le choix.

«Comme tu voudras», céda-t-il de mauvaise grâce.

Elle courut vers lui et le serra contre son cœur. Elle était si bouleversée qu'elle riait et pleurait à la fois. Tout allait bien de nouveau, tout irait bien. Elle n'en douta pas une minute car elle savait qu'il respecterait la promesse qu'il lui avait faite de mauvaise grâce.

«Oh! Mon fils! Mon fils! murmura-t-elle. Tu m'aurais envoyée à la mort si tu avais fait un autre choix. Tu es de nouveau à moi.»

Elle ne fit pas attention au fait qu'il était maussade, qu'il lui en voulait de son injustice avec une intensité semblable à la sienne. Elle ne tint pas compte de son silence pendant qu'ils rentraient ensemble à la maison. Bizarrement, elle dormit d'un sommeil profond cette nuit-là. Bien des jours passèrent avant qu'elle ne comprenne que s'il tenait parole en pratique, elle n'avait pas le pouvoir de la lui faire tenir en esprit. Si elle l'avait arraché à Damaris Garland, elle n'avait pourtant pas réussi à le récupérer vraiment. Il ne serait plus jamais totalement son fils. Une barrière s'était dressée entre eux que même la passion de son amour ne pouvait briser. Chester se montrait gravement gentil avec elle, car il n'était pas dans sa nature de garder rancune longtemps ni de faire payer aux autres son propre malheur; de plus, il comprenait l'affection forcenée qu'elle lui vouait, et on sait bien que comprendre, c'est pardonner. Mais il l'évitait, et elle le savait. Et elle en voulait à Damaris.

«Il pense à elle tout le temps, maugréa-t-elle. Je crains qu'il ne se mette à me haïr, car c'est moi qui l'ai obligé à renoncer à elle. Mais je préfère encore cela à le partager avec une autre. Oh! Mon fils! Mon fils!»

Elle savait que Damaris souffrait aussi. Quand elle croisait la jeune fille, elle le lisait dans la pâleur de son visage. Mais cela lui faisait plaisir. Savoir que Damaris souffrait atténuait sa propre douleur.

À présent, Chester s'absentait souvent de la maison. Il passait beaucoup de son temps libre au port, s'acoquinant avec Joe Raymond et d'autres jeunes gens de cet acabit qui, de l'avis des gens d'Avonlea, lui faisaient de piètres compagnons.

À la fin de novembre, il partit avec Joe Raymond pour descendre la côte dans le bateau de ce dernier. Thyra eut beau protester, il se moqua de ses inquiétudes. Thyra le vit partir, le cœur malade de peur. Elle détestait la mer et la craignait en tout temps, mais plus encore pendant ce mois sournois avec ses rafales soudaines. Chester aimait la mer depuis son enfance. Thyra avait tenté de réprimer cette fascination et de briser ses amitiés avec les pêcheurs du port qui se plaisaient à attirer ce gamin fougueux dans leurs expéditions de pêche. Mais elle avait désormais perdu son pouvoir sur lui.

Après le départ de Chester, elle fut agitée et malheureuse, errant d'une fenêtre à l'autre pour scruter le ciel impitoyable. Venu lui rendre visite, Carl White fut inquiet quand il apprit que Chester était parti avec Joe, et il n'eut pas le tact de le cacher à Thyra.

«C'est pas sûr par ce temps de l'année, dit-il. On peut pas s'attendre à mieux avec un escogriffe écervelé comme Joe Raymond. Il va s'noyer un bon jour, c'est certain. Cette idée folle de lever l'ancre en novembre lui ressemble tout à fait. Mais t'aurais pas dû laisser partir Chester, Thyra.»

«Je n'ai pas pu l'en empêcher. Qu'importe ce que j'aurais dit, il serait parti quand même. Il a ri quand je lui ai parlé du danger. Oh! Il n'est plus ce qu'il était! Je sais qui l'a transformé et je la déteste!»

Carl haussa ses larges épaules. Il savait parfaitement que c'était du côté de Thyra qu'il fallait chercher l'explication de la soudaine froideur entre Chester Carawe et Damaris Garland, et sur laquelle les commères d'Avonlea se déchaînaient. Il avait également pitié de Thyra. Elle avait vieilli rapidement au cours du dernier mois.

«T'es trop dure avec Chester, Thyra. Il peut voler de ses propres ailes à présent, du moins, il le devrait. Laisse-moi te parler comme un vieil ami et te dire que tu t'y prends mal avec lui. Tu es trop jalouse et tyrannique, Thyra.»

«Tu n'y connais rien. Tu n'as jamais eu de fils, toi! répondit cruellement Thyra qui savait que le fait de ne pas avoir de fils était une épine dans le flanc de Carl. Tu ne sais pas ce que c'est que de déverser tout ton amour sur un seul être humain et de te le faire renvoyer au visage.»

Carl était incapable d'affronter Thyra quand elle était en colère. Il ne l'avait jamais comprise, même dans sa jeunesse. Il rentra donc chez lui, haussant toujours les épaules et se disant qu'il était bien heureux de n'avoir pas plu à Thyra autrefois. Cynthia était beaucoup plus facile à vivre.

Thyra n'était pas la seule à interroger anxieusement le

ciel et l'océan à Avonlea. Damaris Garland écoutait le rugissement assourdi de l'Atlantique dans les ténèbres du nord-est
avec l'intuition d'un désastre prochain. Les habitants de la
grève hochaient la tête avec sympathie en disant que Ches
et Joe auraient mieux fait de rester sur la terre ferme.

«C'est dangereux de jouer avec les bourrasques de novembre», fit remarquer Abel Blair. C'était un vieil homme
et, au cours de son existence, il avait vu nombre de choses
tristes le long de la grève.

Thyra ne put fermer l'œil cette nuit-là. Lorsque le vent
fit entendre son cri en remontant la rivière et vint frapper la
maison, elle se leva et s'habilla. Le vent hurlait comme une
bête rapace à sa fenêtre. Toute la nuit, elle marcha de long
en large dans la maison, allant d'une pièce à l'autre, se tordant les mains en gémissant, soufflant des prières entre ses
lèvres exsangues, écoutant, avec un désespoir muet, la tempête se déchaîner.

Le vent souffla avec rage toute la journée du lendemain,
puis se calma pendant la nuit et, au matin, tout était rede-
venu calme et clair. À l'est, les nuages teintés de pourpre et
d'or annonçaient le lever du soleil. Jetant un coup d'œil par
la fenêtre de la cuisine, Thyra aperçut un groupe d'hommes
sur le pont. Il conversaient avec Carl White en regardant et
en gesticulant en direction de la maison des Carawe.

Elle alla à leur rencontre. Aucun de ceux qui virent son
visage blême et rigide ne put l'oublier.

«Vous avez des nouvelles pour moi», dit-elle.

Ils se regardèrent l'un l'autre, chacun implorant muette-
ment son voisin de parler.

«Vous n'avez pas à avoir peur de me le dire, reprit-elle. Je
sais ce que vous êtes venus m'apprendre. Mon fils s'est
noyé.»

«On le sait pas, Mme Carawe, interrompit vivement Abel
Blair. On est pas venus vous apprendre le pire, il y a encore
de l'espoir. Mais on a trouvé le bateau de Joe Raymond la
nuit dernière, échoué, sens dessus dessous, sur la plage de
Blue Point, à quarante milles d'ici.»

«Ne fais pas cette tête, Thyra, dit Carl White d'un air compatissant. Ils sont peut-être sauvés, on les a peut-être recueillis.»

Thyra lui jeta un regard morne.

«Tu sais que c'est faux. Personne d'entre vous n'a le moindre espoir. Je n'ai plus de fils. La mer me l'a pris, elle m'a pris mon bébé.»

Elle leur tourna le dos et rentra dans sa maison désolée. Personne n'osa la suivre. Carl alla chez lui et envoya sa femme chez Thyra.

Cynthia la trouva assise sur sa chaise habituelle. Ses mains reposaient, paumes levées, sur ses genoux. Ses yeux étaient secs et brûlants. Devant l'air compatissant de Cynthia, elle esquissa un sourire effrayant.

«Il y a longtemps, Cynthia White, commença-t-elle lentement, un jour que tu étais fâchée contre moi, tu m'as dit que Dieu me punirait parce que j'avais fait une idole de mon fils et que je l'adorais à Sa place. T'en souviens-tu? Tu avais dit vrai. Dieu a vu que j'aimais trop Chester et Il a décidé de me l'enlever. J'ai contrecarré une fois Ses projets en le faisant renoncer à Damaris. Mais on ne peut s'opposer à la Providence. Il était écrit que je devais le perdre, d'une façon ou d'une autre. Il m'a été totalement enlevé. Je ne pourrai même pas m'occuper de sa tombe, Cynthia.»

«Elle avait l'air d'une démente, avec des yeux terribles», raconta plus tard Cynthia à son mari. Mais elle s'abstint de faire des commentaires devant Thyra. Bien qu'elle fût une âme superficielle et simple, elle était capable d'éprouver de la sympathie et sa propre vie n'avait pas été exempte de souffrance. Cette expérience lui dicta la conduite à suivre dans la circonstance. Elle s'assit auprès de la créature abattue et la prit dans ses bras en tenant ses mains glacées dans les siennes. Ses grands yeux bleus se remplirent de larmes et c'est d'une voix tremblante qu'elle dit:

«Thyra, je compatis avec toi. Je... j'ai perdu un enfant un jour, c'était mon premier-né. Et Chester était un garçon si gentil.»

Pendant un moment, Thyra refusa d'abandonner son maigre corps tendu à l'étreinte de Cynthia. Puis elle éclata soudain en sanglots convulsifs et pleura sa douleur sur la poitrine de sa voisine.

La mauvaise nouvelle s'étant répandue, les autres femmes d'Avonlea vinrent toute la journée offrir leurs condoléances à Thyra. Un grand nombre d'entre elles éprouvaient une véritable sympathie, mais certaines étaient poussées par la simple curiosité, voulant voir comment Thyra réagissait. Cette dernière le savait, mais elle ne s'en formalisa pas comme elle l'aurait fait avant. Elle écouta calmement toutes les paroles de réconfort, les mots forcés, les mots adéquats, mots qui essayaient en vain d'apaiser sa douleur. Le soir venu, Cynthia dit qu'elle devait rentrer, mais qu'elle enverrait une de ses filles passer la nuit avec elle.

«Tu ne dois pas avoir envie de rester seule», dit-elle.

Thyra la regarda fermement.

«Non. Mais je voudrais que tu m'envoies Damaris Garland.»

«Damaris Garland!» Cynthia répéta le nom comme si elle n'en croyait pas ses oreilles. Bien qu'on ne pût jamais prévoir les lubies de Thyra, Cynthia ne s'attendait pas à cela.

«Oui. Dis-lui que je veux la voir, dis-lui qu'elle doit venir. Elle doit me détester. Mais mon châtiment devrait pouvoir assouvir sa haine. Demande-lui de venir pour l'amour de Chester.»

Cynthia fit ce qu'on lui avait demandé; elle délégua sa fille Jeannette chez Damaris. Puis elle patienta. Quelles que fussent les tâches qui l'attendaient à la maison, elle voulait être témoin de la rencontre entre Damaris et Thyra. Il lui fallait satisfaire sa curiosité. Elle avait eu une conduite exemplaire toute la journée, mais ç'aurait été trop exiger d'elle que d'imaginer qu'elle considère la rencontre de ces deux femmes comme une chose privée.

Elle croyait à demi que Damaris refuserait de venir. Mais Damaris se présenta. Jeannette la fit entrer dans la lueur rougeoyante d'un coucher de soleil de novembre. Thyra se leva et, pendant un instant, les deux femmes se dévisagèrent.

La beauté de Damaris avait perdu son insolence. Elle avait les yeux délavés et enflés d'avoir trop pleuré, ses lèvres étaient pâles et son visage n'était plus illuminé de rires et de fossettes. Seule sa chevelure, dont quelques mèches s'échappaient du châle qu'elle avait noué sur sa tête, étincelait d'une splendeur chaude dans la lumière du couchant et encadrait son visage mince comme l'auréole d'une madone. Thyra fut envahie de remords en la regardant. Ce n'était plus la créature radieuse qu'elle avait croisée sur le pont un après-midi d'été. Cette métamorphose était son œuvre. Elle tendit les bras.

«Oh! Damaris, pardonnez-moi. Toutes les deux nous l'avons aimé, et cela doit être un lien entre nous deux.»

Damaris s'avança et entoura de ses bras la femme âgée, levant son visage. Quand leurs lèvres se joignirent, Cynthia White comprit qu'elle n'avait rien à faire là. Irritée de se sentir mal à l'aise, elle s'en prit à l'innocente Jeannette.

«Viens-t'en, chuchota-t-elle avec colère. Tu ne vois donc pas que nous sommes de trop ici?»

Elle entraîna Jeannette dehors pendant que Thyra berçait Damaris dans ses bras, lui murmurant des choses qu'une mère dit à son enfant.

Décembre était déjà très avancé et Damaris était toujours chez Thyra. Il était entendu qu'elle y passerait au moins l'hiver. Thyra ne pouvait plus se passer d'elle. Elles parlaient constamment de Chester; Thyra avoua sa colère et sa haine. Damaris lui avait pardonné, mais Thyra, elle, s'en voulait encore. Elle avait énormément changé, et était devenue gentille et tendre. Elle envoya même chercher August Vorst et lui demanda pardon pour la façon dont elle l'avait traité.

L'hiver arriva tard cette année-là et la saison fut très clémente. Il n'y avait pas de neige sur le sol et, un mois après que le bateau de Joe Raymond eut été retrouvé sur la plage de Blue Point, Thyra trouva des violettes dans son jardin, qui fleurissaient sous leurs feuilles emmêlées. Elle était en train de les cueillir pour Damaris lorsqu'elle entendit un boghei rouler sur le pont et s'engager dans l'allée des White. Les aulnes et les sapins l'empêchaient pourtant de le voir. Quelques minutes plus tard, Carl et Cynthia traversèrent leur cour au pas de course. Carl avait le visage rouge et son gros corps frémissait d'excitation. Cynthia courait derrière lui, des larmes roulant sur ses joues.

Thyra eut le cœur serré d'appréhension. Était-il arrivé quelque chose à Damaris? Elle fut rassurée en apercevant la jeune fille qui cousait à une fenêtre de l'étage.

«Oh! Thyra! Thyra!» bredouilla Cynthia.

«As-tu la force d'entendre une bonne nouvelle? demanda Carl d'une voix tremblante. Une très très bonne nouvelle?»

Thyra les regarda l'un après l'autre d'un œil hagard.

«Il n'y a qu'une seule chose que vous oseriez appeler une bonne nouvelle pour moi, s'écria-t-elle. C'est à propos de... à propos de...»

«Chester! Oui, c'est à propos de Chester! Il est vivant, Thyra, il est sauvé, et Joe aussi, Dieu soit loué! Soutiens-la, Cynthia!»

«Non, je ne vais pas m'évanouir, dit Thyra en s'appuyant contre l'épaule de Cynthia. Mon fils est vivant! Comment l'avez-vous appris? Où était-il?»

«C'est au port que j'ai appris la nouvelle, Thyra. Le navire de Mike McCready, le *Nora Lee*, venait d'arriver des Îles-de-la-Madeleine. Ches et Joe ont chaviré le soir de la tempête, mais ils ont réussi à s'accrocher au bateau et, au lever du jour, ils ont été recueillis à bord du *Nora Lee*, en route pour Québec. Mais le bateau avait été endommagé par la tempête et avait dérivé loin de sa route. Ils ont été obligés d'accoster aux Îles-de-la-Madeleine pour le faire réparer et ils y sont depuis. Le télégraphe des îles ne fonctionnait plus et aucun bateau ne va porter le courrier aux îles à ce temps de l'année. Si la saison n'avait pas été aussi clémente, le *Nora Lee* aurait dû rester là jusqu'au printemps. Le port n'a jamais été aussi joyeux que ce matin quand le *Nora Lee* est rentré, les drapeaux flottant au grand mât.»

«Et Chester... où est-il?» demanda Thyra.

Carl et Cynthia se regardèrent.

«Eh bien, Thyra, répondit la dernière, il se trouve dans la cour en ce moment même. C'est Carl qui l'a ramené, mais je ne voulais pas qu'il vienne avant que tu sois préparée à le revoir. Il t'attend.»

Thyra se dirigea rapidement vers la barrière. Puis elle se tourna, le visage un peu assombri.

«Non, quelqu'un d'autre a davantage le droit de le voir la première. Je peux réparer, grâce à Dieu, je peux réparer le tort que je lui ai fait.»

Elle rentra dans la maison et appela Damaris. Lorsque la jeune fille descendit l'escalier, Thyra tendit les bras vers elle, le regard illuminé de joie et de renonciation.

«Damaris, dit-elle, Chester nous est revenu, la mer nous l'a rendu. Il est chez Carl White. Va le chercher, ma fille, et ramène-le-moi!»

11

L'éducation de Betty

Lorsque Sara Currie épousa Jack Churchill, j'eus le cœur brisé... ou du moins crus-je l'avoir, ce qui, chez un garçon de vingt-deux ans, revient à peu près au même. Je ne confiai pourtant mon malheur à personne, cela n'a jamais été le genre des Douglas et je me fais un point d'honneur de me montrer à la hauteur des traditions familiales. Je croyais alors que personne d'autre que Sara n'était au courant, mais à présent, je pense que Jack le savait aussi car Sara n'a sans doute pas été capable de tenir sa langue. S'il le savait, il ne me l'a cependant jamais laissé voir et ne m'a jamais insulté par des marques de sympathie. Il m'a au contraire prié d'être son témoin. Jack a toujours eu de la classe.

J'ai servi de témoin. Jack et moi étions depuis toujours des amis intimes et, si j'avais perdu ma bien-aimée, je n'avais pas l'intention de perdre mon ami par la même occasion. Sara avait fait un choix judicieux car Jack me valait deux fois; il avait dû travailler pour gagner sa vie et peut-être que cela y était pour quelque chose.

J'ai donc dansé au mariage de Sara comme si mon cœur était aussi léger que mes talons. Mais après que Jack et elle se furent établis à Glenby, j'ai fermé Les Érables et suis parti pour l'étranger, car j'étais, comme je l'ai laissé entendre, un de ces infortunés mortels qui n'ont à consulter que leurs caprices en ce qui a trait au temps et à l'argent. Je restai absent dix années, abandonnant Les Érables aux termites et à la rouille pour m'amuser ailleurs. Je profitai énormément de mon séjour, mais toujours à reculons, car j'avais l'impression qu'un homme au cœur brisé comme le mien n'avait pas le droit de s'amuser autant. Cela blessait mon sens des convenances et j'essayai de modérer mon enthousiasme et de penser davantage au passé. Ce fut inutile. Le présent persistait à se montrer envahissant et agréable. Quant à l'avenir... eh bien, il n'existait pas.

Puis Jack Churchill mourut, le pauvre. Un an après son décès, je rentrai au pays et redemandai Sara en mariage, comme c'était mon devoir de le faire. Elle déclina une fois de plus mon offre, alléguant que son cœur était enterré dans la tombe de Jack ou quelque chose de ce genre. Je m'aperçus que cela n'avait plus beaucoup d'importance. Bien entendu, à trente-deux ans, on ne prend pas ces choses aussi à cœur qu'à vingt-deux. J'étais suffisamment occupé à remettre Les Érables en bon état et à entreprendre l'éducation de Betty. Celle-ci était la fillette de dix ans de Sara, et elle avait été vraiment gâtée. C'est-à-dire qu'on l'avait laissée faire à sa guise tout ce qu'elle voulait et, ayant hérité de son père le goût du grand air, elle était tout simplement devenue sauvage. C'était un véritable garçon manqué, un petit être décharné chez qui on ne retrouvait rien de la beauté de sa mère. Betty tenait de son père qui avait été grand et sombre et, la première fois que je fus en sa présence, elle me parut toute en bras et en jambes. Je lui trouvai cependant des points prometteurs. Elle avait de jolis yeux noisette taillés en amandes, les mains et les pieds les plus mignons et bien modelés que j'avais jamais vus et deux énormes tresses d'épais cheveux marron.

En souvenir de Jack, je décidai de me charger de l'éducation de sa fille. Sara en était incapable et n'avait jamais essayé. Je compris que si personne ne prenait Sara en main, avec intelligence et fermeté, elle ne ferait jamais rien de bon.

Comme personne d'autre que moi ne semblait intéressé à s'en occuper, je résolus de voir comment un vieux célibataire pourrait s'en tirer avec l'éducation d'une fillette. J'aurais pu être son père. De plus, son propre père avait été mon meilleur ami. Qui avait plus que moi le droit de veiller sur sa fille? Je résolus d'être un père pour Betty et de me conduire avec elle comme le plus dévoué des parents. Il était clair que c'était là mon devoir. J'informai Sara que j'allais prendre sa fille en main. Elle fit entendre un de ces soupirs plaintifs que j'avais coutume de trouver si charmants et qui, à ma surprise, m'irrita légèrement, et répondit qu'elle m'en serait très reconnaissante.

«Je ne me sens pas capable de m'attaquer au problème de l'éducation de Betty, Stephen, admit-elle. C'est une enfant bizarre... tout à fait Churchill. Son pauvre père lui laissait la bride sur le cou et je t'assure qu'elle a tout un caractère. Je n'ai aucune autorité sur elle. Elle agit à sa guise et se gâte le teint en courant et galopant dehors à longueur de journée. Elle n'avait pourtant pas déjà une très jolie peau. Les Churchill n'en ont jamais eu, tu sais, ajouta Sara en jetant un regard satisfait à son reflet délicatement teinté dans la glace. J'ai essayé de lui faire porter un chapeau cet été, mais j'aurais aussi bien pu parler au vent.»

Une vision de Betty en bonnet se présenta à mon esprit et m'amusa tellement que je fus reconnaissant à Sara de l'avoir suscitée. Je la remerciai par un compliment.

«C'est regrettable que Betty n'ait pas hérité le joli teint de sa maman, dis-je, mais nous devons faire le mieux possible pour elle malgré ses limites. Elle se sera peut-être grandement améliorée lorsqu'elle aura vieilli. Et du moins, nous devrons en faire une dame. C'est inquiétant de voir à quel point elle est actuellement un garçon manqué, mais elle a du potentiel. C'est normal, vu le mélange de Churchill et de Currie. Mais même la meilleure des matières peut être gâchée si elle est traitée sans discernement. Je crois être en mesure de te promettre de ne pas la gâcher. Je sens que Betty est ma vocation; et je vais m'élever en rival de la "nature" de

Woodsworth et de ces méthodes en lesquelles je n'ai jamais eu confiance en dépit de ses poèmes insidieux.»

Mes propos furent absolument inintelligibles à Sara, mais elle ne feignit pas de les comprendre.

«Je te confie entièrement l'éducation de Betty, dit-elle en poussant un nouveau soupir plaintif. Je suis convaincue que je ne pourrais la mettre en de meilleures mains. Tu as toujours été une personne digne de confiance.»

Ma foi, voilà qui me payait du dévouement que je lui témoignais depuis toujours. Je me sentis satisfait de ma situation officieuse de conseiller en chef de Sara et de tuteur auto-désigné de Betty. J'eus également l'impression que, pour bien poursuivre le but que je m'étais fixé, c'était préférable que Sara eût de nouveau refusé de m'épouser. Mon petit doigt me disait que là où un beau-père aurait échoué, un vieil ami de la famille bien sérieux pouvait réussir avec Betty. La loyauté de cette dernière envers la mémoire de son père était passionnée et véhémente. Elle en aurait voulu à celui qui l'aurait remplacé et n'aurait eu aucune confiance en lui. Mais ce vieux camarade familier avait des chances d'être cher à son cœur.

Heureusement, Betty m'aimait bien, ce qui était de bon augure pour le succès de mon entreprise. Elle m'en informa avec la même candeur qu'elle m'aurait dit qu'elle me détestait, si cela avait par hasard été le cas. Elle me déclara franchement:

«Vous êtes un des plus chics types que je connaisse, Stephen. Vous êtes vraiment un vieux bonhomme épatant.»

Cela rendit ma tâche relativement facile. Il m'arrive de frémir à la pensée de ce qui se serait passé si Betty ne m'avait pas trouvé «épatant». J'aurais tenu mon bout, car c'est dans mon caractère, mais Betty m'aurait rendu la vie impossible. Elle était remarquablement douée pour tourmenter les gens quand elle décidait de s'y mettre. Je n'aurais sûrement pas aimé compter parmi ses ennemis.

Je me rendis à Glenby le lendemain matin après mon entretien paternel avec Sara, avec l'intention d'avoir une conversation franche avec Betty et d'établir les bases d'une bonne compréhension mutuelle. Betty était une enfant éveillée et elle avait le don déconcertant de voir au-delà des apparences. Elle aurait certainement perçu un arrangement fait dans son dos et m'en aurait probablement voulu. Je pensai qu'il valait mieux lui dire carrément que j'allais m'occuper d'elle. Néanmoins, lorsque j'eus rencontré Betty qui gambadait avec une paire de chiens dans l'allée bordée de bouleaux, sa chevelure dénouée flottant derrière elle comme une bannière d'indépendance, et que je l'eus fait monter, échevelée et essoufflée, sur ma monture, je m'aperçus que Sara m'avait épargné l'ennui de lui expliquer la situation.

«Maman m'a dit que vous alliez vous charger de mon éducation, Stephen, dit-elle dès qu'elle eut repris son souffle. J'en suis bien contente parce que je trouve que vous avez beaucoup d'allure, pour une vieille personne. Je suppose qu'il faudra bien qu'on s'occupe de mon éducation à un moment ou à un autre, et je préfère que ce soit vous qui le fassiez plutôt que n'importe qui d'autre.»

«Je te remercie, Betty, répondis-je gravement. J'espère mériter la bonne opinion que tu as de moi. Je m'attends à ce que tu fasses ce que je te dirai de faire et que tu te laisses guider par mes conseils.»

«Je vous obéirai, dit-elle, parce que je suis sûre que vous ne me demanderez jamais d'agir contre ma nature. Vous ne m'enfermerez pas dans une chambre pour me faire coudre, pas vrai? Vous ne m'enverrez pas en pension, n'est-ce pas, Stephen? Je refuserais d'y aller.»

«Non, l'assurai-je gentiment. Il ne me viendrait jamais à l'esprit d'enfermer une petite sauvageonne comme toi dans une pension. Tu y souffrirais comme un oiseau en cage.»

«Je sens que nous allons merveilleusement nous entendre, Stephen, reprit Betty en frottant amicalement sa joue basanée contre mon épaule. Vous comprenez si bien les choses. Peu de gens en sont capables. Même mon papa chéri ne comprenait rien. Il me laissait faire à ma guise parce que j'étais incapable d'être docile et de jouer avec des poupées. Je déteste les poupées! Les bébés vivants sont sympathiques;

mais les chiens et les chevaux sont tellement mieux que les poupées!»

«Il faut pourtant que tu étudies, Betty. Je vais te trouver des professeurs et superviser tes études et je te demande de me faire confiance sur ce point comme sur les autres.»

«J'essaierai, c'est promis», déclara Betty. Et elle tint parole.

Pour commencer, je considérai l'éducation de Betty comme une corvée, mais cela devint en peu de temps un plaisir, l'intérêt le plus profond et le plus constant de ma vie. Comme je l'avais prévu, Betty était une matière de qualité, et il était hautement valorisant de la voir se modeler sous mes efforts. Jour après jour, semaine après semaine, mois après mois, son caractère et son tempérament se révélèrent naturellement sous mon regard vigilant. C'était comme si je surveillais le développement graduel d'une plante précieuse poussant dans mon jardin. Un peu de surveillance et de soins ici, un tutorat soigneux et comme on était récompensé de voir la grâce et la symétrie du résultat! Betty se développa comme je désirais voir se développer la fille de Jack Churchill, intelligente et fière, avec la finesse d'esprit et la grâce de la féminité, loyale et aimante selon sa nature franche et droite, sincère jusqu'à la moelle, exécrant la fausseté et la comédie. Elle était le miroir le plus cristallin dans lequel un homme pût regarder et quand il y voyait son reflet, il avait honte de ne pas en être plus digne. Betty avait la gentillesse de prétendre que je lui avais enseigné tout ce qu'elle savait. Mais elle-même, que ne m'avait-elle pas appris? Si l'un de nous deux devait quelque chose à l'autre, c'était plutôt moi. Dans l'ensemble, Sara se montrait plutôt satisfaite. Elle disait que ce n'était pas ma faute si Betty n'avait pas une meilleure apparence et que j'avais certainement fait tout ce qui était possible pour son esprit et son caractère. La façon dont elle le disait laissait sous-entendre que ces détails futiles comptaient pour peu comparés à l'absence d'une carnation de porcelaine et de bras potelés. Mais elle avait la générosité de ne pas m'en blâmer.

«Quand Betty aura vingt-cinq ans, dis-je avec patience,

car j'avais appris à prendre ce ton avec Sara, elle sera une femme splendide, beaucoup plus belle que tu ne l'as jamais été, Sara, dans toute ta splendeur rose et blanche. Es-tu donc aveugle, ma chère, pour ne pas voir la promesse de beauté chez Betty?»

«Elle a dix-sept ans et elle est toujours aussi efflanquée et basanée, soupira Sara. Au même âge, j'étais la plus populaire de la région et j'avais déjà reçu cinq demandes en mariage. Je ne crois pas que Betty ait même jamais pensé à avoir un amoureux.»

«Je l'espère bien», coupai-je. Cette idée ne me plaisait guère. «Betty est encore une enfant. Pour l'amour de Dieu, Sara, ne lui mets pas de ces idées insensées dans la tête.»

«J'ai peur d'en être incapable, se lamenta Sara comme s'il s'agissait d'une chose regrettable. Tu lui as déjà rempli la tête avec des livres et des choses semblables. J'ai vraiment confiance en ton jugement, Stephen, et tu as accompli des merveilles avec Betty. Mais ne crois-tu pas l'avoir rendue trop intelligente? Les hommes n'aiment pas les femmes trop intelligentes. Son pauvre père avait coutume de dire que les femmes qui préféraient les livres aux amoureux n'étaient pas normales.»

Je ne croyais pas que Jack ait jamais dit rien d'aussi stupide. Sara imaginait ces choses. Je fus pourtant choqué d'entendre Betty traitée de bas-bleu.

«Lorsque le moment sera venu pour Betty de s'intéresser aux garçons, repris-je sévèrement, elle leur accordera sans doute toute l'attention voulue. Pour l'instant, il vaut cent fois mieux que sa tête soit remplie de livres que de sornettes sentimentales prématurées. Je suis un vieux garçon critique, mais je suis satisfait de Betty, Sara, parfaitement satisfait.»

Sara soupira.

«Oh, j'imagine qu'elle est bien comme ça, Stephen. Et je te suis vraiment reconnaissante. Je suis sûre que je ne serais arrivée à rien avec elle. Ce n'est pas ta faute, bien entendu, mais je ne peux m'empêcher de déplorer qu'elle ne ressemble pas davantage aux autres filles.»

Je m'enfuis enragé de Glenby. Quelle chance que Sara ne m'ait pas épousé dans ma jeunesse absurde. Elle m'aurait rendu fou avec ses soupirs, son esprit obtus et son teint toujours aussi rose et blanc! Mais du calme. Elle était une petite femme gentille et elle avait bon cœur. Elle avait rendu Jack heureux et elle avait réussi, Dieu sait comment, à mettre au monde une créature aussi rare que Betty. À cause de cela, beaucoup devait lui être pardonné. Lorsque je fus arrivé aux Érables et me fus installé dans un vieux fauteuil confortable de ma bibliothèque, je lui avais déjà pardonné et me mis même à songer sérieusement à ce qu'elle venait de me dire. Betty était-elle réellement différente des autres jeunes filles? C'est-à-dire différente là où elle aurait dû leur ressembler? Ce n'était pas ce que je souhaitais. Même si j'étais un vieux garçon endurci, j'aimais bien les filles, les tenant pour les êtres les plus aimables de la création. Je voulais que Betty profite au maximum de sa vie de jeune fille. Lui manquait-il quelque chose?

J'observai attentivement Betty au cours de la semaine qui suivit, me rendant à Glenby chaque jour et en revenant le soir pour méditer sur mes observations. C'est ainsi que je décidai de faire ce qui ne m'avait jamais effleuré l'esprit. J'enverrais Betty en pension pour un an. Il était nécessaire qu'elle apprenne à vivre comme les autres filles. Je me rendis à Glenby le lendemain et trouvai Betty sous les bouleaux; elle revenait d'une promenade à cheval. Elle était assise sur la jument tachetée que je lui avais offerte pour son dernier anniversaire et riait des simagrées de ses chiens qui gambadaient autour d'elle. Je la regardai avec plaisir; cela me réjouissait de constater combien elle était encore une enfant en dépit de la taille élevée qu'elle tenait des Churchill. Sous son chapeau de velours, les mêmes épaisses nattes de cheveux pendaient toujours sur ses épaules; son visage avait gardé la fermeté de l'enfance et ses traits étaient délicats. Son galop avait animé le teint basané qui préoccupait tant Sara; ses yeux sombres et allongés étaient pleins de la belle insouciance de l'enfance. Et par-dessus tout, son âme était celle d'une enfant. Je me surpris à souhaiter qu'elle demeure toujours ainsi. Mais je savais que c'était impossible; la femme en elle devrait un jour s'épanouir. Et il était de mon devoir de veiller à ce qu'il en soit ainsi. Lorsque j'appris à Betty qu'elle devrait partir un an au loin afin de poursuivre ses études, elle haussa les épaules, se renfrogna et finit par consentir. Elle avait appris à consentir à ce que j'avais décidé, même lorsque mes décisions s'opposaient à ce qu'elle aimait et bien qu'elle eût un jour cru que je ne ferais jamais de tels choix. Mais Betty avait suffisamment confiance en moi pour se plier à tout ce que je commandais.

«J'irai, évidemment, puisque vous le voulez ainsi, Stephen, dit-elle. Mais pourquoi le voulez-vous? Vous devez avoir une raison, vous ne faites jamais rien sans raison. De quoi s'agit-il?»

«C'est à toi de le découvrir, Betty, répondis-je. D'ici à ce que tu reviennes, je crois que tu l'auras trouvé. Sinon, cela prouvera que la raison n'était pas bonne et il faudra l'oublier.»

Au moment de son départ, je vins lui dire au revoir sans lui donner d'inutiles conseils.

«Écris-moi chaque semaine et n'oublie jamais que tu es Betty Churchill», dis-je.

Elle se tenait dans l'escalier devant moi, avec ses chiens. Elle descendit une marche et mit ses bras autour de mon cou.

«Je me rappellerai que vous êtes mon ami et que je dois m'en montrer digne, répondit-elle. Au revoir, Stephen.»

Elle me donna deux ou trois baisers sonores — n'ai-je pas dit qu'elle était toujours une enfant? et continua à m'envoyer la main pendant que je m'éloignais. Arrivé au bout de l'avenue, je me tournai et la vis au loin, debout, tête nue, en robe courte, fixant le soleil déclinant de ses yeux intrépides. Ce fut là ma dernière vision de Betty enfant.

Je vécus une année solitaire. J'avais perdu mon occupation et commençai à craindre d'être devenu inutile. La vie me parut terne, ennuyeuse et sans valeur. Son unique saveur me venait des lettres hebdomadaires de Betty. Elles étaient piquantes et savoureuses à souhait. Betty s'était découvert un talent d'épistolière insoupçonné. Au début, elle se montrait triste, s'ennuyait et me suppliait de la laisser revenir. Lorsque je refusai, ce qui fut indescriptiblement difficile, elle bouda pendant trois lettres puis s'anima et commença à s'amuser. Vers la fin de l'année, elle m'écrivit ces mots:

«J'ai découvert pourquoi vous m'aviez envoyée ici, Stephen, et je suis contente que vous l'ayez fait.»

Le jour de son retour à Glenby, une raison de force majeure m'obligea à m'absenter de chez moi, mais je m'y rendis le lendemain après-midi. Betty était dehors et Sara, à l'intérieur. Celle-ci rayonnait. Betty s'était énormément améliorée, me déclara-t-elle d'un air ravi. J'aurais peine à reconnaître la «chère petite». Ceci m'inquiéta énormément. Qu'est-ce qu'on avait bien pu faire à Betty? Apprenant qu'elle était allée se promener dans la pinède, je me hâtai d'aller l'y retrouver. Quand je l'aperçus dans un long sentier doré, je me cachai derrière un arbre pour la regarder; je voulais la voir sans être vu. Lorsqu'elle fut proche, je la contemplai avec fierté, admiration et stupéfaction, et j'eus soudain le cœur inexplicablement serré. Je n'avais jamais éprouvé une telle sensation, pas même quand Sara avait refusé de m'accorder sa main.

Betty était une femme! Ce n'était pas dû à la simple robe blanche qui moulait sa haute et mince silhouette, révélant des formes d'une grâce et d'une finesse exquises. Ce n'était pas dû à sa luisante chevelure marron retenue sur le sommet de sa tête d'où elle retombait en boucles soyeuses. Ce n'était pas dû à la douceur nouvelle de ses formes ni à la joliesse de sa silhouette. Non, c'était le rêve, l'émerveillement et la quête qu'on pouvait lire dans ses yeux qui faisaient de Betty une femme, une femme qui, inconsciemment peut-être, cherchait l'amour. Devant cette transformation, je ressentis un choc qui, je crois, me fit pâlir. J'étais content. Elle était devenue telle que je l'avais souhaité. Pourtant, j'aurais voulu retrouver l'enfant Betty. Cette femme me semblait très lointaine. J'émergeai de ma cachette et m'engageai dans le sentier. En me voyant, tout son visage s'illumina. Elle ne se précipita pas pour se jeter dans mes bras comme elle l'aurait fait un an auparavant, mais elle s'approcha rapidement, la main tendue. À première vue, je l'avais trouvée un peu pâle, mais je conclus que je m'étais trompé car son teint était magnifiquement rosé. Je pris sa main — il n'y eut pas de baisers, cette fois.

«Bienvenue chez toi, Betty», dis-je.

«Oh! Stephen, c'est si bon d'être de retour», souffla-t-elle, les yeux brillants.

Elle ne dit pas qu'il était bon de me revoir, comme je l'avais espéré. En fait, immédiatement après ces salutations, elle me parut un tantinet distante et froide. Nous marchâmes pendant une heure dans la pinède en bavardant. Betty était brillante, spirituelle, sûre d'elle et tout à fait charmante. Je la trouvais parfaite, pourtant le cœur me faisait mal. Quelle superbe jeune fille elle était, dans toute la splendeur de sa jeunesse! Et pour l'heureux homme qui allait la conquérir, quel magnifique cadeau! Au diable cette pensée inopportune! Il était évident que Glenby serait bientôt envahi de prétendants. À chaque marche, je trébucherais sur quelque amoureux transi! Et puis, qu'est-ce que ça pouvait bien faire? Betty allait se marier, cela ne faisait aucun doute. Mon devoir était de m'assurer qu'elle choisirait un bon mari, digne d'elle. Je songeai que je préférais l'ancienne tâche de superviser ses études. Cela revenait pourtant au même, c'était simplement un cours de maîtrise en science appliquée. Lorsqu'elle commencerait à apprendre l'amour, cette grande leçon de la vie, moi, le vieil ami de la famille, le mentor fidèle, je devrais être là pour voir à ce que le professeur soit celui qui convienne, tout comme j'avais déjà choisi ses anciens professeurs de français et de botanique. Ce n'est qu'à ce moment que l'éducation de Betty serait achevée.

Je rentrai chez moi le caquet un peu bas. Une fois aux Érables, je fis ce que je n'avais pas fait depuis des années, je me regardai dans le miroir d'un œil critique. J'eus ainsi la désagréable surprise de me rendre compte que j'avais vieilli. Mon visage glabre était creusé de rides nouvelles, et des fils

d'argent éclairaient mes tempes. À dix ans, Betty me considérait comme une «vieille personne». À présent qu'elle avait
dix-huit ans, elle me prendrait sans doute pour Mathusalem!
Et alors, quelle importance? Pourtant... je me la rappelai telle
que je l'avais vue dans la pinède et quelque chose de froid et
de douloureux posa sa main sur mon cœur.

Je ne m'étais pas trompé en prédisant qu'elle aurait de
nombreux soupirants. Glenby en fut bientôt infesté. Dieu
sait d'où ils pouvaient bien venir. Je n'aurais jamais même
supposé que le comté comptait le quart de ces garçons. Ils
étaient pourtant là. Sara était au septième ciel. En fin de
compte, Betty n'était-elle pas devenue une jeune fille populaire? Quant au nombre de demandes en mariage... ma foi,
Betty n'a jamais compté ses scalps en public, mais il n'était
pas rare de voir sortir de la maison un jeune homme dont on
n'entendrait plus jamais parler. Il n'était pas difficile de devi-
ner pourquoi.

Tout cela semblait amuser Betty. J'ai le chagrin de dire
qu'elle était un tantinet coquette. J'essayai de la corriger de
ce grave défaut mais, pour la première fois, je découvris que
cette tâche était au-dessus de mes forces. Je la sermonnai en
vain, Betty ne fit que rire; je la grondai en vain, elle n'en
flirta qu'avec une ardeur accrue. Les hommes pouvaient aller
et venir, Betty continuait son manège. Je tolérai cette situation pendant une année, puis je décidai que le moment était
venu d'intervenir. Je devais trouver un mari à Betty, ma
tâche de père ne serait pas remplie avant cela. En réalité,
c'était pour la société en général que je devais le faire, car
tant que Betty avait la bride sur le cou, personne n'était en
sécurité. Aucun des jeunes hommes qui fréquentaient la
maison n'était assez bon pour elle. Je décidai que mon neveu
Frank ferait l'affaire. C'était un garçon de valeur, de belle
apparence, au cœur généreux et à l'âme pure. En termes pro-
saïques, il était ce que Sara aurait appelé un bon parti. Il
avait de l'argent, une situation sociale, il commençait à avoir
une réputation d'avocat avisé. Oui, c'est lui qui épouserait
Betty.

Ils ne s'étaient jamais rencontrés. Je me mis aussitôt à l'œuvre. Plus vite tous ces chichis seraient terminés, mieux ce serait. J'avais horreur des chichis et il allait certainement y en avoir. J'accomplis pourtant ma tâche comme un marieur expérimenté. J'invitai Frank à me rendre visite aux Érables et, avant sa venue, je parlai beaucoup de lui... mais pas trop, quand même... à Betty, mêlant judicieusement louanges et reproches à son sujet. Les femmes n'étaient jamais attirées par les parangons de vertu. Betty me prêta une oreille plus attentive que d'habitude. Alors qu'elle avait coutume de ne pas m'écouter lorsque je dissertais sur les garçons, elle condescendit même, cette fois-ci, à me poser des questions. Je me dis que c'était bon signe.

Je n'avais pas dit un mot de Betty à Frank. Lorsqu'il arriva aux Érables, je l'emmenai à Glenby et lorsqu'au crépuscule, nous tombâmes sur Betty qui se promenait parmi les bouleaux, je le présentai tout de go. Il n'aurait pas été humain s'il n'avait pas sur-le-champ succombé à son charme. Le cœur d'un homme ne pouvait résister à cette petite femme adorable. Elle était toute de blanc vêtue avec des fleurs dans ses cheveux et, pendant un instant, j'aurais assassiné Frank ou tout autre homme qui aurait commis le sacrilège de l'aimer. Je repris mes esprits et les laissai seuls. J'aurais pu entrer dans la maison et bavarder avec Sara... deux vieux se remémorant le temps passé pendant que les jeunes badinaient dehors... mais je n'en fis rien. J'errai dans la pinède, m'efforçant d'oublier combien ce Frank aux cheveux bouclés était joyeux et beau et d'effacer le souvenir de l'éclair qui s'était allumé dans ses yeux quand il avait vu Betty. Et alors? N'était-ce pas pour cela que je l'avais fait venir? N'étais-je pas satisfait du succès de mon plan? Bien sûr que je l'étais! J'étais même tout à fait ravi!

Le lendemain, Frank se rendit à Glenby sans même faire l'effort de me demander de l'accompagner. Pendant son absence, je supervisai les travaux de la nouvelle serre que je faisais construire. Je m'en occupai consciencieusement, mais sans y prendre le moindre intérêt. Cette serre était destinée aux roses et celles-ci me rappelaient les jaune pâle que Betty avait portées sur son corsage la semaine précédente, un soir que tous ses soupirants étaient inexplicablement absents et que nous nous étions promenés dans la pinède comme nous avions l'habitude de le faire avant qu'elle ne devienne une jeune femme devant un homme grisonnant. Elle avait laissé tomber une rose sur le sol et, après l'avoir raccompagnée à la maison, j'étais retourné la ramasser. Elle se trouvait à présent dans mon portefeuille. Du diable si un futur oncle ne pouvait éprouver une affection toute familiale pour celle qui allait devenir sa nièce?

La cour de Frank semblait prospérer. Les autres jeunes gens qui avaient hanté Glenby disparurent graduellement. Betty le traitait avec la gentillesse la plus charmante. Sara se montrait on ne peut plus favorable. Je me tenais à l'arrière-plan, comme un *deus ex machina* bienveillant, en me flattant de tirer les ficelles.

À la fin du mois, les choses se gâtèrent. Frank rentra un jour de Glenby avec le cafard et se morfondit pendant deux jours. Le troisième jour, je décidai d'aller en personne voir de quoi il retournait. Je m'étais peu montré à Glenby ce mois-là. Mais s'il y avait des problèmes du côté de Betty, j'avais le devoir d'arrondir les coins. Comme d'habitude, je trouvai celle-ci dans la pinède. Elle me parut pâle et triste. Il ne faisait aucun doute qu'elle languissait de Frank. En m'apercevant, son visage s'éclaira; elle s'attendait à ce que je rétablisse la situation. Mais elle fit semblant d'être hautaine et indifférente.

«Je suis contente de voir que vous ne nous avez pas complètement oubliées, Stephen, dit-elle froidement. Il y a une semaine que vous n'êtes venu.»

«Tu t'en es rendu compte, j'en suis flatté, répondis-je en m'asseyant sur une souche et en levant les yeux vers elle, appuyée sur un vieux pin, longue et souple, détournant les yeux. J'avais l'impression que tu n'avais pas envie de voir un vieux bonhomme rébarbatif comme moi venir gâcher les moments idylliques d'un amour naissant.»

«Pourquoi dites-vous toujours que vous êtes vieux?»

reprit Betty d'un air irrité, ignorant mon allusion à Frank.

«Parce que je le suis, ma chérie. Regarde mes cheveux gris.»

Je repoussai avec désinvolture mon chapeau pour les montrer.

C'est à peine si Betty leur accorda un regard.

«Vous en avez juste assez pour avoir l'air distingué, dit-elle, et vous n'avez que quarante ans. Les hommes sont dans la force de l'âge à quarante ans. Ils n'ont aucun bon sens avant cela, et certains n'en acquièrent jamais», conclut-elle avec impertinence.

Je ressentis un coup au cœur. Betty soupçonnait-elle quelque chose? Avait-elle dit cette dernière phrase dans le but de m'informer qu'elle connaissait mon secret et qu'elle se moquait de moi?

«Je suis venu pour que tu m'apprennes ce qui s'est passé entre Frank et toi», dis-je gravement.

Elle se mordit les lèvres.

«Rien», mentit-elle.

«Betty, repris-je d'un ton de reproche, je me suis efforcé de t'enseigner à dire toujours la vérité, toute la vérité, rien que la vérité. Ne me fais pas penser que j'ai échoué. Je vais te donner une autre chance. T'es-tu querellée avec Frank?»

«Non, maintint-elle. C'est lui qui s'est querellé avec moi. Il est parti fâché et qu'il revienne ou non, je m'en fiche!»

Je hochai la tête.

«Ce n'est pas bien, Betty. En tant que vieil ami de la famille, j'ai encore le droit de te gronder jusqu'à ce que tu aies un mari pour le faire. Tu ne dois pas tourmenter Frank. C'est un trop bon garçon. Tu dois l'épouser, Betty.»

«Le dois-je vraiment? demanda Betty, rougissant soudain. Elle tourna les yeux vers moi de la façon la plus déconcertante. «*Vous* voulez que j'épouse Frank, Stephen?»

Elle avait cette perfide et horripilante habitude d'appuyer sur les pronoms.

«Oui, c'est ce que je désire, parce que je crois qu'il est celui qui te convient le mieux, répondis-je sans la regarder. Il faudra bien que tu te maries un jour, Betty, et Frank est le seul homme à qui je peux te confier. En tant que tuteur, j'ai intérêt à m'assurer que tu seras bien établie. Tu as toujours suivi mes conseils et obéi à mes désirs et en bout de ligne, n'avais-je pas raison, Betty? Tu ne vas pas commencer à te rebeller, j'en suis sûr. Tu sais parfaitement que c'est pour ton bien que je te donne ce conseil. Frank est un jeune homme remarquable qui t'aime de tout son cœur. Épouse-le, Betty. Ce n'est pas un ordre. Je n'ai aucun droit de le faire, et même si je l'avais, tu es trop vieille pour en recevoir. Mais c'est un souhait et un conseil. N'est-ce pas suffisant, Betty?»

Pendant tout ce discours, je ne l'avais pas regardée une seule fois. J'avais résolument contemplé les pins dans la lumière du soleil. Chacune de mes paroles me déchirait le cœur et laissait un goût de sang sur mes lèvres. Oui, Betty devait épouser Frank! Pourtant, bon Dieu, qu'adviendrait-il de moi?

Betty de détacha du tronc de l'arbre où elle était appuyée et se dirigea vers moi. Elle se tint en face de moi. Je ne pouvais éviter de la regarder, car si je bougeais les yeux, elle bougeait aussi. Son attitude n'avait rien de docile ni de soumis; elle tenait la tête haute, son regard flamboyait et ses joues étaient écarlates. Pourtant, lorsqu'elle ouvrit la bouche, elle parla avec soumission.

«Je vais épouser Frank si c'est ce que vous souhaitez, Stephen, dit-elle. Vous êtes mon ami. J'ai toujours obéi à vos désirs et, comme vous l'avez dit, je ne l'ai jamais regretté. Encore une fois, je ferai exactement ce que vous voulez, je vous le promets. Mais, pour une question aussi grave, je dois être absolument certaine que vous le souhaitez vraiment. Il ne doit subsister aucun doute dans mon esprit et dans mon cœur. Regardez-moi dans les yeux, Stephen. Vous ne l'avez pas fait une seule fois aujourd'hui, ni même depuis mon retour de pension. Regardez-moi en face et répétez-moi que vous souhaitez me voir épouser Frank Douglas. Je le ferai! Est-ce cela que vous voulez, Stephen?»

Je dus la regarder dans les yeux, rien d'autre ne l'aurait satisfaite. C'est alors que toute la puissance de l'homme en moi se révolta contre le mensonge que j'allais prononcer. Son regard franc me força à dire la vérité, malgré moi.

«Non, je ne souhaite pas te voir épouser Frank Douglas, mille fois non! m'écriai-je avec passion. Je ne souhaite pas te voir épouser un autre homme que moi. Je t'aime, je t'aime, Betty. Tu m'es plus chère que la vie même, plus chère que mon propre bonheur. C'était au tien que je pensais. Je t'ai demandé d'épouser Frank parce que j'ai cru qu'il te rendrait heureuse. C'est tout!»

Mes paroles lui avait fait perdre son attitude de défi. C'était comme si je venais de souffler sur une bougie. Elle se tourna et baissa la tête.

«Cela ne m'aurait pas rendue heureuse d'épouser un homme tout en en aimant un autre», chuchota-t-elle.

Je me levai et allai vers elle.

«Betty, qui aimes-tu?» demandai-je, également dans un souffle.

«Toi», murmura-t-elle humblement, oh! si humblement, ma petite fille orgueilleuse.

«Betty, dis-je d'une voix entrecoupée, je suis vieux, trop vieux pour toi, j'ai plus de vingt ans de plus que toi, je suis...»

«Oh!» Betty tourna autour de moi et tapa du pied. «Ne me parle plus jamais de ton âge! Tu pourrais être aussi vieux que Mathusalem, cela me serait complètement égal! Mais je ne vais certainement pas te supplier de m'épouser, non monsieur! Si tu refuses, je n'en épouserai jamais un autre, je vivrai et mourrai vieille fille! Ça te ferait plaisir, bien sûr!»

Elle se détourna, mi-riant, mi-pleurant. Mais je la pris dans mes bras et écrasai contre ma bouche ses lèvres adorables.

«Betty, je suis l'homme le plus heureux du monde... et j'étais le plus malheureux, lorsque je suis arrivé.»

«Tu le méritais bien, rétorqua-t-elle cruellement. Et j'en suis bien contente. Un homme aussi stupide que toi mérite d'être malheureux. Comment crois-tu que je me sentais, t'aimant de tout mon cœur et voyant que tu me jetais dans les bras d'un autre? Mon Dieu, je t'ai toujours aimé, Stephen. Mais je l'ignorais avant d'aller dans cette détestable école.

C'est alors que je l'ai compris, et j'ai pensé que c'était pour cela que tu m'y avais envoyée. Mais quand je suis revenue, tu m'as pratiquement brisé le cœur. C'est pour cela que j'ai flirté avec tous ces pauvres gentils garçons, je voulais te faire de la peine et j'ai cru que jamais je n'y parviendrais. Tu as continué à te montrer paternel. Ensuite, quand tu m'as présenté Frank, j'ai perdu presque tout espoir et j'ai essayé de me convaincre que je devais l'épouser. Je l'aurais fait si tu avais insisté. Mais il fallait que je tente une dernière fois d'être heureuse. Je n'avais qu'un tout petit espoir. Je t'avais vu quand tu étais revenu ramasser ma rose, un soir! Moi aussi, j'étais retournée là-bas, pour être seule et malheureuse en paix.»

«Ton amour est la chose la plus merveilleuse qui soit jamais arrivée», dis-je.

«Impossible de faire autrement, protesta Betty en nichant sa tête brune sur mon épaule. Tu m'as enseigné tout le reste, Stephen, alors personne d'autre que toi ne pouvais m'apprendre à aimer. Tu as fait de mon éducation quelque chose de complet.»

«Quand veux-tu m'épouser, Betty?» demandai-je.

«Dès que je t'aurai pardonné d'avoir essayé de m'en faire épouser un autre», répondit-elle.

Frank trouva la chose plutôt dure à avaler. Mais l'égoïsme de la nature humaine est tel que nous n'avons pas beaucoup pensé à Frank. Le jeune homme se conduisit en vrai Douglas. Il blêmit lorsque je lui appris la nouvelle, me souhaita tout le bonheur possible et s'en alla sans faire d'esclandre, en véritable gentleman.

Il s'est marié depuis et, d'après ce que j'ai compris, il est très heureux. Pas autant que moi, bien entendu. C'est impossible, parce qu'il n'existe qu'une Betty au monde et elle est ma femme.

12

Un exemple d'abnégation

C'était un soir du début de mai et un vent frais agitait les rideaux dans la chambre où agonisait Naomi Holland. L'air était humide et glacé, mais la moribonde refusait qu'on ferme la fenêtre.

«J'peux pas respirer quand tout est fermé, disait-elle. Quoi qu'il arrive, j'ai pas l'intention de mourir étouffée, Car'line Holland.»

Dehors, un cerisier qui poussait près de la fenêtre débordait de fleurs en boutons, mais Naomi ne vivrait pas assez longtemps pour les voir s'épanouir. Entre ses branches, elle aperçut la coupe cristalline du ciel au-dessus des collines qui s'assombrissaient. De joyeux et doux sons printaniers emplissaient l'air. On entendait parler et siffloter dans la grange et, de temps à autre, éclatait un rire léger. Un oiseau se posa un instant sur une branche du cerisier et gazouilla inlassablement. Les bruits et les silences parlaient à Naomi des choses familières qu'elle ne pouvait voir: l'érable rouge près du poteau de la clôture, les brumes grises flottant sur les prés et les étoiles d'argent dans ce ciel de printemps.

La chambre était petite et dépouillée: deux tapis nattés sur le sol nu, le plâtre décoloré, les murs cabossés et luisants. Il n'y avait jamais eu beaucoup de beauté dans l'environnement de Naomi Holland et, à présent qu'elle se mourait, il y en avait encore moins. Un garçonnet d'une dizaine d'années sifflait, penché sur le rebord de la fenêtre. Grand pour son âge, d'une beauté frappante, il avait une chevelure bouclée d'une riche teinte acajou; son teint était blanc et animé; dans ses petits yeux turquoise, ourlés de longs cils, ses prunelles étaient dilatées; il avait le menton fuyant et une bouche sensuelle et boudeuse. Le lit se trouvait dans l'angle le plus éloigné de la fenêtre. Malgré sa souffrance continuelle, la moribonde reposait, calme et immobile. Elle était ainsi depuis le jour où elle s'était couchée pour la dernière fois. Naomi ne s'était jamais plainte. Lorsque la douleur atteignait un paroxysme, elle serrait davantage les dents sur ses lèvres exsangues et ses grands yeux noirs fixaient le mur nu en face d'elle d'un regard qui donnait aux personnes présentes la chair de poule, mais pas une parole, pas un gémissement ne s'échappait d'elle.

Entre les crises, elle continuait à s'intéresser vivement à ce qui se passait autour d'elle. Rien ne lui échappait. Ce soir-là, elle gisait sur ses oreillers froissés; elle avait eu une crise particulièrement pénible pendant l'après-midi et en était restée très affaiblie. Dans la pénombre, sa figure exagérément longue avait déjà l'air cadavérique. Sa chevelure était étalée en une tresse épaisse sur l'oreiller et la courtepointe. C'était tout ce qui restait de sa beauté, et elle en tirait encore une joie amère. Quoi qu'il arrive, il fallait peigner et natter chaque jour ces longues mèches soyeuses et sinueuses.

Une adolescente de quatorze ans était blottie sur une chaise au chevet du lit, la tête sur un coussin. Le gamin à la fenêtre avait beau être son demi-frère, il n'existait pas la moindre ressemblance entre Eunice Carr et Christopher Holland. Le silence sifflant fut soudain rompu par un sanglot sourd, à demi étouffé. En l'entendant, la malade, qui regardait une étoile blanche à travers les branches du cerisier, se tourna avec impatience.

«J'aimerais que tu m'épargnes cela, Eunice, fit-elle sèchement. J'veux pas que personne pleure pour moi avant ma mort. Et même alors, tu auras suffisamment d'autres choses à faire, j'imagine. De toute façon, si ce n'était de Christopher, cela me serait égal de mourir. Quand on a vécu une existence comme la mienne, on n'a pas grand-chose à craindre de la mort. On préférerait pourtant partir d'un coup et non pas à petit feu, comme ceci. C'est injuste.»

Elle prononça la dernière phrase comme si elle s'adressait à quelque présence invisible et tyrannique. Sa voix n'avait toutefois pas faibli; elle était toujours aussi claire et incisive. À la fenêtre, le garçon cessa de siffler et la fille essuya silencieusement ses yeux avec son tablier de calicot.

Naomi porta ses propres cheveux à ses lèvres et les embrassa.

«T'auras jamais des cheveux comme ceux-ci, Eunice, reprit-elle. Ils semblent trop jolis pour être enterrés, pas vrai? Assure-toi que j'serai bien coiffée quand on m'portera en terre. C'est toi qui devras me peigner et natter mes cheveux.»

Un son faisant penser au gémissement d'un animal blessé échappa à la fillette, mais au même moment, la porte s'ouvrit et une femme entra.

«Chris, s'écria-t-elle d'une voix dure, va immédiatement chercher les vaches, espèce de petit fainéant! Tu savais parfaitement que tu devais y aller et tu restais là à rêvasser pendant que je me morfondais à te chercher. Dépêche-toi, il est ridiculement tard!»

L'enfant leva la tête et fronça les sourcils, mais il n'osa pas désobéir et sortit lentement en marmonnant d'un air maussade. Sa tante eut envie de lui administrer une bonne claque derrière la tête, mais elle réprima son geste en jetant un regard effrayé vers le lit. Naomi Holland avait beau être étendue sur son lit de mort, son caractère était encore à craindre, et sa belle-sœur préféra ne pas la provoquer en giflant Christopher. Pour elle et l'infirmière, les spasmes de rage de la moribonde avaient quelque chose de diabolique. Trois jours auparavant, la dernière crise avait éclaté lorsque Christopher s'était plaint d'avoir été rudoyé par sa tante, ce qui était peut-être vrai et peut-être aussi un mensonge, mais celle-ci n'avait pas l'intention de supporter un nouvel éclat. Elle se dirigea vers le lit et tapota les draps.

«Je vais aller traire les vaches avec Sarah, Naomi. Eunice restera avec toi. Elle viendra nous chercher si tu sens venir une autre crise.»

Naomi Holland regarda sa belle-sœur d'un air vaguement malicieux.

«J'vais pas avoir d'autre crise, Car'line Anne. J'vais mourir cette nuit. Mais t'as pas besoin de te dépêcher à traire les vaches. J'vais prendre mon temps.»

Elle aima voir l'inquiétude se peindre sur le visage de l'autre femme. Quelle satisfaction de terrifier Caroline Holland de cette manière!

«Te sens-tu plus mal, Naomi? demanda cette dernière en tremblant. Si oui, j'vais envoyer Charles chercher le docteur.»

«Pas question. Quel bien le docteur peut-il m'apporter? Je n'ai besoin ni de sa permission ni de celle de Charles pour mourir. Tu peux aller t'occuper des vaches. J'mourrai pas avant que t'aies fini, comme ça, tu seras pas privée du plaisir de me voir.»

Mᵐᵉ Holland serra les lèvres et sortit de la chambre avec un air de martyre. À certains égards, Naomi Holland n'était pas une malade exigeante, mais elle tirait son plaisir des paroles mordantes et malicieuses qu'elle ne manquait jamais de prononcer. Même sur son lit de mort, son hostilité envers sa belle-sœur devait trouver à s'exprimer.

Sarah Spencer l'attendait dans les marches, tenant les seaux à lait. Sarah Spencer n'avait pas de domicile fixe, mais on la trouvait toujours là où il y avait de la maladie. Son expérience et sa totale absence d'émotion en faisaient une bonne infirmière. C'était une grande femme plutôt laide, aux cheveux gris fer et au visage ridé. À côté d'elle, la petite et coquette Caroline Anne, avec sa démarche légère et son visage de pomme rouge, avait presque l'air d'une jeune fille. Les deux femmes se rendirent à la grange. Chemin faisant, elles discutèrent à mi-voix du cas de Naomi. La maison dont elles s'éloignaient devint très silencieuse.

L'ombre envahissait la chambre de Naomi Holland. Eunice se pencha timidement sur sa mère.

«Veux-tu que j'allume, m'man?»

«Non, j'regarde l'étoile au-dessus du cerisier. J'la verrai disparaître derrière la colline. Ça fait douze ans que j'la vois ainsi, et j'veux à présent lui dire adieu. J'veux aussi que tu restes tranquille. Il faut que j'réfléchisse à deux ou trois choses, et j'veux pas être dérangée.»

L'adolescente se redressa sans bruit et croisa les mains sur un montant du lit. Puis elle pencha la tête sur ses mains et les mordit silencieusement jusqu'à ce que les marques de ses dents s'impriment dans la peau rouge et rugueuse.

Naomi Holland ne lui prêta aucune attention. Elle contemplait résolument le scintillement nacré dans le ciel que le crépuscule teintait faiblement. Lorsqu'il disparut enfin de sa vue, elle frappa deux fois dans ses longues mains décharnées, et son visage prit un instant une expression terrible. Ensuite, lorsqu'elle parla, sa voix était calme.

«Tu peux allumer la bougie à présent, Eunice. Pose-la ici, sur l'étagère, pour qu'elle brille pas dans mes yeux. Puis assis-toi au pied du lit, que je puisse te voir. J'ai quelque chose à te dire.»

Eunice obtempéra sans faire de bruit. La lueur pâle révéla la silhouette de l'enfant. Elle était maigre et avait une épaule légèrement plus haute que l'autre. Elle avait le teint bistre de sa mère, mais ses traits étaient irréguliers et ses cheveux tombaient en mèches ternes autour de son visage. Ses yeux étaient marron et on voyait, au-dessus d'un œil, la cicatrice rouge d'une marque de naissance. Naomi Holland la considéra avec le mépris qu'elle ne lui avait jamais caché. Cette fille avait beau être la chair de sa chair, elle ne l'avait jamais aimée. Elle n'éprouvait de sentiment maternel qu'envers son fils.

Quand Eunice eut posé la bougie sur la tablette et eut tiré les affreux stores de papier bleu, camouflant les bandes de ciel violet où se voyait encore une multitude de points clignotants, elle prit place au pied du lit, en face de sa mère.

«La porte est bien fermée, Eunice?»

Celle-ci hocha la tête.

«Parce que j'veux pas que Car'line Anne ni qui que ce soit d'autre vienne fouiner et écouter c'que j'ai à dire. Elle est allée traire les vaches, et j'dois profiter de l'occasion. J'vais mourir, Eunice, et...»

«M'man!»

«Ça va, ne t'emballe pas! Tu savais que ça allait arriver un jour ou l'autre. Comme j'ai pas la force de parler beaucoup, j'veux que tu m'écoutes sans m'interrompre. Pour le moment, je ressens aucune douleur, alors j'peux penser et parler clairement. Est-ce que tu m'écoutes, Eunice?»

«Oui, m'man.»

«C'est bien. J'veux te parler de Christopher. J'ai pas cessé de penser à lui depuis que j'suis couchée ici. Ça fait un an qu'à cause de lui, je lutte pour vivre, mais il y a plus rien à faire. Il faut que je meure et que je l'abandonne, et j'sais pas c'qu'il va devenir. C'est affreux.»

Elle s'arrêta et frappa la table de sa main recroquevillée.

«Ce serait moins pire s'il était plus vieux et pouvait s'occuper de lui-même. Mais il n'est encore qu'un enfant, et Car'line Anne le déteste. Il faudra que vous viviez tous les deux avec elle jusqu'à ce que vous ayez grandi. Elle va abuser de lui. Il ressemble à son père, à certains points de vue. Il a mauvais caractère et il est têtu. Il pourra pas s'entendre avec Car'line Anne. À présent, Eunice, j'veux que tu m'promettes de m'remplacer auprès de Christopher après ma mort, autant que tu le pourras. Tu dois le faire, c'est ton devoir. Mais j'exige que tu me le promettes.»

«Je le ferai, m'man», chuchota solennellement la fillette.

«T'as pas beaucoup de force, t'en as jamais eu. Si t'étais plus futée, tu pourrais faire beaucoup pour lui. Mais tu devras faire de ton mieux. Je veux que tu me promettes que tu vas rester près de lui et le protéger, que tu laisseras personne le dominer, qu'aussi longtemps qu'il aura besoin de toi, tu l'abandonneras pas, quoi qu'il arrive. Promets-le-moi, Eunice.»

Dans son état de fébrilité, la mourante se dressa dans son lit et agrippa le bras décharné de sa fille. Ses yeux flamboyaient, et deux taches écarlates animaient ses joues maigres.

Le visage d'Eunice était livide et tendu. Elle joignit les mains comme pour une prière.

«Je te le promets, m'man.»

Naomi relâcha sa pression et retomba sur son oreiller, épuisée. À mesure qu'elle s'apaisait, la mort se peignait sur son visage.

«Je me sens soulagée à présent. Mais si seulement j'avais pu vivre encore un an ou deux! Et je déteste Car'line Anne, je la déteste! Ne la laisse jamais abuser de mon fils, Eunice. Si cela se produisait, ou si tu le négligeais, je sortirais de ma tombe pour venir te hanter. En ce qui concerne l'héritage, je m'en suis occupée, il n'y aura pas de problème. Personne ne va se chamailler ni léser Christopher. Il aura la ferme dès qu'il sera assez vieux pour l'exploiter et c'est lui qui te fera vivre. Et n'oublie jamais ta promesse, Eunice!»

Dehors, la pénombre était de plus en plus épaisse. Caroline Holland et Sarah Spencer étaient dans la laiterie, filtrant le lait dans les écrémeuses tandis que Christopher, maussade, pompait l'eau. La maison était éloignée de la route qui se trouvait au bout d'une longue allée rougeâtre; de l'autre côté du pré se trouvait la vieille maison des Holland où vivait Caroline; sa belle-sœur célibataire, Electa Holland, s'occupait du ménage tandis qu'elle soignait Naomi. Ce soir-là, c'était au tour de Caroline de rentrer dormir chez elle, mais les paroles de Naomi la tourmentaient, même si elle était convaincue qu'elles étaient le fruit d'une pure méchanceté.

«Vous feriez mieux d'aller la voir, Sarah, dit Caroline en rinçant les seaux. Si vous croyez que je devrais rester ici cette nuit, je le ferai. Si cette femme ressemblait aux autres, on saurait comment agir, mais elle, c'est peut-être pour nous effrayer qu'elle a dit qu'elle allait mourir ce soir.»

Lorsque Sarah entra, la chambre de la malade était très calme. À son avis, Naomi ne se portait pas plus mal qu'avant et c'est ce qu'elle affirma à Caroline; cette dernière ne fut pourtant pas rassurée et décida de rester. Naomi était aussi froide et arrogante que d'habitude. Elle envoya chercher Christopher pour lui dire bonne nuit et le fit monter sur le lit pour l'embrasser. Puis elle le laissa et regarda avec admiration ses boucles soyeuses, ses joues roses et ses membres fermes et ronds. L'enfant se sentit gêné d'être dévisagé ainsi et se hâta de descendre du lit en se tortillant. Elle le suivit avidement des yeux pendant qu'il sortait de la pièce. Quand la porte fut refermée derrière lui, elle gémit. Sarah Spencer sursauta. C'était la première fois qu'elle entendait gémir Naomi depuis qu'elle la soignait.

«Vous sentez-vous plus mal, Naomi? Est-ce que la douleur revient?»

«Non. Allez dire à Car'line de donner à Christopher une tartine de gelée de raisins avant qu'il aille se coucher. Elle en trouvera dans l'étagère sous l'escalier.»

La maison devint ensuite très silencieuse. Caroline s'était assoupie sur le canapé du salon, de l'autre côté du corridor. Assise à la table dans la chambre de la malade, Sarah Spencer somnolait sur son tricot. Elle avait essayé d'envoyer Eunice se coucher, mais celle-ci avait refusé. Elle était blottie au pied du lit de sa mère, fixant son visage. Naomi paraissait dormir. À son chevet, la bougie se consumait lentement. Pour Eunice, cette flamme féerique qui clignotait gaiement ressemblait à un œil espiègle posé sur elle. La lumière changeante sur la tête de Sarah Spencer projetait des ombres grotesques sur le mur. À la fenêtre, les minces rideaux bougeaient comme s'ils étaient agités par des mains de fantômes.

À minuit, Naomi Holland ouvrit les yeux. C'était en emportant l'image de l'enfant qu'elle n'avait jamais aimée qu'elle devait traverser dans l'autre monde.

«Eunice, souviens-toi!»

C'était un chuchotement quasi imperceptible. En passant le seuil vers une nouvelle vie, l'âme avait agrippé son seul lien terrestre. Le long visage blafard frémit. Un cri horrible résonna dans la maison silencieuse. Consternée, Sarah

Spencer émergea de son somme et regarda fixement la fillette hurlante. Caroline arriva en hâte, les yeux exorbités. Naomi Holland était morte.

Dans la chambre où elle était morte, Naomi Holland était allongée dans son cercueil. La pièce était sombre et on y parlait à voix feutrée. Mais dans le reste de la maison, les préparatifs des funérailles allaient bon train. Eunice était calme et muette. Depuis l'unique hurlement sauvage qu'elle avait poussé à la mort de sa mère, elle n'avait pas versé une larme, montré un signe de chagrin. Peut-être, comme l'avait prédit sa mère, n'en avait-elle pas eu le temps. Elle devait s'occuper de Christopher dont la peine était tumultueuse et incontrôlable. Il avait pleuré jusqu'à l'épuisement. C'était Eunice qui l'avait consolé, l'avait persuadé de prendre une bouchée, l'avait gardé constamment à ses côtés. Le soir venu, elle l'avait amené dans sa propre chambre et l'avait regardé dormir.

Après les funérailles, le mobilier fut emballé ou vendu. On verrouilla la maison et loua la ferme. Les enfants ne pouvaient aller ailleurs que chez leur oncle. Caroline n'avait pas envie de les recueillir, mais comme elle y était forcée, elle accepta de mauvaise grâce de faire ce qu'elle considérait comme son devoir. Elle avait elle-même cinq enfants et entre eux et Christopher, il existait une animosité depuis leur plus tendre enfance.

Caroline n'avait jamais aimé Naomi. Peu de gens l'avaient aimée. Benjamin Holland s'était marié très tard et dès le premier abord, Naomi avait déclaré la guerre à sa belle-famille. C'était une veuve mère d'une enfant de trois ans, étrangère à Avonlea. Elle s'y fit peu d'amis, car selon certaines personnes, elle n'avait pas toute sa tête. Après un an de mariage, Christopher vint au monde; sa mère l'idolâtra dès le jour de sa naissance. Il était son unique réconfort. C'est pour lui qu'elle s'usait au travail, pour lui qu'elle épargnait tout ce qu'elle pouvait. La situation financière de Benjamin Holland n'était pas des plus reluisantes lorsqu'elle l'avait épousé, mais lorsqu'il mourut, six ans plus tard, c'était un homme à l'aise.

Naomi ne fit pas semblant de porter le deuil de son mari. Cela avait été un secret de Polichinelle qu'ils se querellaient comme chien et chat. Charles Holland et sa femme avaient naturellement pris le parti de Benjamin, et Naomi avait dû se battre toute seule. Après la mort de son mari, elle administra la ferme et la fit fructifier. Aux premiers symptômes de la mystérieuse maladie qui allait l'emporter, elle lutta avec toute sa force et sa détermination. Sa volonté lui gagna une autre année de vie, mais elle dut finalement céder. Elle goûta toute l'amertume de la mort le jour où elle dut s'allonger dans son lit et voir son ennemie venir prendre charge de sa maison. Caroline Holland ne manquait pourtant ni de bonté ni de générosité. C'était vrai qu'elle n'aimait ni Naomi ni ses enfants. Mais Naomi était mourante, et la simple humanité exigeait qu'on veille sur elle. Caroline considéra qu'elle s'était bien conduite envers sa belle-sœur.

Lorsque la terre rouge du cimetière d'Avonlea eut recouvert la tombe de Naomi, Caroline amena chez elle Eunice et Christopher. Christopher ne voulait pas y aller, mais Eunice lui fit accepter l'idée. Il s'accrocha à elle avec l'affection exigeante engendrée par la solitude et le chagrin. Pendant les jours qui suivirent, Caroline Holland fut obligée de s'avouer que sans Eunice, on ne serait arrivé à rien avec Christopher. C'était un enfant maussade et entêté, mais sa sœur avait indiscutablement de l'influence sur lui.

Chez Charles Holland, l'oisiveté n'était pas permise. Comme il n'y avait dans la maison que des filles, Christopher se vit confier toutes les corvées. On le fit travailler, peut-être trop fort. Mais Eunice l'aidait et faisait, à l'insu de tous, la moitié de son travail. Lorsqu'il se querellait avec ses cousines, elle prenait son parti. Chaque fois que c'était possible, elle s'arrangeait pour être blâmée pour les bêtises de son frère et se faisait punir à sa place.

Electa Holland était la sœur célibataire de Charles Holland. Elle s'était occupée de la maison de Benjamin jusqu'au mariage de celui-ci. Ensuite, Naomi l'avait chassée. Electa ne lui avait jamais pardonné et transféra sa haine à ses enfants. Elle trouvait cent façons mesquines de se venger sur eux. Eunice supportait ses rebuffades avec patience, mais refusait qu'elle touche à un cheveu de son frère. Un jour, Electa frappa Christopher. Eunice, qui tricotait assise à la table, se leva d'un bond. Pour la première fois, on remarqua à quel point elle ressemblait à sa mère. Elle leva la main et gifla Electa deux fois sur la joue, laissant une marque rouge là où elle avait frappé.

«Ne vous avisez pas de toucher de nouveau à mon frère, prononça-t-elle vindicativement, en détachant bien ses paroles, parce que je vous giflerai chaque fois que vous le ferez. Vous n'avez pas le droit de le toucher.»

«Juste ciel! Quelle furie! s'exclama Electa. Tu es tout le portrait de ta mère!»

Elle raconta l'incident à Charles et Eunice fut sévèrement punie. Mais Electa ne se mêla plus jamais de l'éducation de Christopher.

Tous les problèmes du foyer Holland ne pouvaient cependant empêcher les enfants de vieillir et Caroline, harassée, priait pour voir arriver la fin de son calvaire. À dix-sept ans, Christopher était devenu un grand jeune homme costaud. Sa beauté enfantine s'était virilisée, mais pour un grand nombre de personnes, il était séduisant. Il prit alors charge de la ferme de sa mère. Le frère et la sœur entreprirent leur nouvelle vie ensemble dans la maison depuis longtemps déserte. D'un côté comme de l'autre, on n'éprouva pas beaucoup de regret lorsqu'ils quittèrent le toit de leur oncle. Dans le secret de son cœur, Eunice ressentit un indicible soulagement. Pendant la dernière année, Christopher s'était montré «difficile à manier», comme le disait son oncle. Il avait pris l'habitude de traîner en compagnie douteuse jusque très tard dans la nuit, ce qui provoquait la colère de Charles Holland, et leurs querelles étaient fréquentes et violentes.

Pendant les quatre années qui suivirent leur retour à la

maison, Eunice vécut une existence difficile et troublée. Christopher était paresseux et dissipé. La plupart des gens le considéraient comme un bon à rien et son oncle se désintéressait totalement de son sort. Seule Eunice lui resta loyale; jamais elle ne lui fit aucun reproche, jamais elle ne se montra injuste, mais travailla comme une esclave pour garder les choses en ordre. Sa patience finit par triompher. Christopher se corrigea et travailla plus fort. Même dans ses crises de rage, il ne fut jamais méchant envers Eunice. Il n'était pas dans sa nature d'apprécier son dévouement ni de lui rendre la pareille, mais elle puisait son réconfort dans le fait qu'il le tolérait avec indulgence.

Eunice avait vingt-huit ans lorsque Edward Bell la demanda en mariage. C'était peut-être un veuf d'âge mûr, sans grand éclat, père de quatre enfants, mais, comme Caroline le fit remarquer à Eunice, cette dernière n'était pas facile à caser non plus et Caroline fit de son mieux pour favoriser cette union. Sans Christopher, elle aurait peut-être réussi. Lorsque, malgré les soins de Caroline, il eut vent de ce qui se tramait, il entra dans une grande rage. Si Eunice se mariait et le laissait, il vendrait la ferme et partirait pour le Klondike, ce qui équivalait à prendre le chemin de l'enfer. Il ne pouvait et ne voulait rester sans elle. Aucun des arrangements suggérés par Caroline ne put l'apaiser et Eunice finit par refuser d'épouser Edward Bell. Elle ne pouvait abandonner Christopher, expliqua-t-elle simplement, et Caroline ne put ébranler sa détermination.

«Tu es stupide, Eunice, déclara-t-elle, lorsqu'elle fut finalement obligée de céder. Tu n'auras probablement jamais d'autre proposition. Quant à Chris, il se mariera dans un an ou deux, et où iras-tu, alors? Tu vas te retrouver dans de beaux draps le jour où il fera entrer sa femme ici.»

La flèche atteignit son but. Les lèvres d'Eunice pâlirent. «Cette maison sera assez grande pour elle et moi, s'il se marie», murmura-t-elle pourtant.

Caroline renifla.

«Peut-être. Tu verras bien. Mais c'est inutile de discuter.

Tu es aussi têtue que ta mère, et rien n'a jamais pu la faire changer d'avis. J'espère seulement que tu ne le regretteras pas.»

Trois années passèrent. Puis, Christopher se mit à courtiser Victoria Pye. Leurs fréquentations duraient déjà depuis quelque temps lorsque Eunice et les Holland l'apprirent. Cela provoqua une nouvelle explosion, car entre les Holland et les Pye, un conflit existait depuis trois générations. Peu importait qu'on en eût totalement oublié l'origine. L'honneur familial exigeait néanmoins que jamais un Holland ne fasse affaire avec un Pye. L'indifférence manifeste de Christopher à l'égard de cette haine fut accueillie avec consternation. Bien qu'il eût résolu de ne jamais se mêler des affaires de Christopher, Charles alla lui faire la leçon. Et lorsque Caroline en parla à Eunice, elle était aussi émue que si Christopher avait été son propre frère. La querelle entre les Holland et les Pye ne faisait ni chaud ni froid à Eunice. Elle considérait Victoria comme elle aurait considéré toute autre fille aimée de Christopher: une usurpatrice. Pour la première fois de sa vie, elle éprouva une jalousie passionnée. Sa vie tourna au cauchemar. Pressée par Caroline et par sa propre souffrance, elle s'aventura à réprimander Christopher. Elle s'attendait à une crise de rage mais, étonnamment, il prit la chose avec désinvolture. Il parut même amusé.

«Qu'est-ce que tu reproches à Victoria?» demanda-t-il avec indulgence.

Eunice n'avait pas de réponse. C'était vrai qu'elle n'avait rien contre la jeune fille. Elle se sentit démunie et bafouée. Christopher se moqua de son mutisme.

«Tu es un peu jalouse, j'imagine, reprit-il. Tu devais pourtant t'attendre à ce que je me marie, un jour. Cette maison est assez grande pour nous tous. Sois raisonnable. Ne te laisse pas monter la tête par Charles et Caroline. Pour être heureux, un homme doit se marier.»

Christopher rentra tard ce soir-là. Eunice resta à l'attendre, comme d'habitude. C'était une soirée fraîche de printemps, lui rappelant celle où sa mère était morte. La cuisine était impeccable et Eunice, assise sur une chaise à dossier droit près de la fenêtre, attendait son frère. Elle ne voulait pas d'autre lumière que le faible éclairage du clair de lune. Dehors, le vent qui soufflait sur une nouvelle touffe de menthe dans le jardin portait un parfum pénétrant. C'était un jardin à l'ancienne où poussait une abondance de plantes annuelles semées jadis par Naomi Holland. Eunice veillait à le garder scrupuleusement propre. Elle y avait travaillé ce jour-là et se sentait fatiguée. Elle était seule dans la maison et la solitude lui semblait imperceptiblement menaçante. Tout le jour, elle avait essayé de se faire à l'idée du mariage de Christopher et y était partiellement parvenue. Elle se disait qu'elle pourrait continuer à s'occuper de son frère et veiller sur son bien-être. Elle s'efforcerait même d'aimer Victoria; après tout, il serait peut-être agréable d'avoir une autre femme dans la maison. C'est ainsi qu'assise là, elle donnait à son âme affamée des miettes de réconfort.

Lorsqu'elle entendit arriver Christopher, elle se hâta d'allumer une lumière. Son frère se renfrogna en la voyant; il n'avait jamais aimé qu'elle reste debout à l'attendre. Il s'assit près du poêle et retira ses bottes pendant qu'Eunice lui préparait à manger. Après son repas, pris en silence, il ne se leva pas pour aller se coucher. Eunice sentit un frisson de peur prémonitoire lui parcourir l'échine. Elle ne fut absolument pas étonnée lorsque Christopher se décida enfin à dire abruptement:

«Eunice, j'ai l'intention de me marier ce printemps-ci.»

Eunice joignit ses mains sous la table. Elle s'y attendait. C'est ce qu'elle répondit, d'une voix monocorde.

«Il faudra trouver un arrangement pour... pour toi, Eunice, poursuivit Christopher en hésitant, les yeux obstinément rivés sur son assiette. Victoria n'aimerait pas beaucoup... eh bien, elle pense qu'il est préférable pour un jeune couple de commencer sa vie commune tout seul, et j'imagine qu'elle n'a pas tort. Tu ne te sentirais pas à l'aise, de toute façon, de jouer le deuxième violon après avoir si longtemps régné ici en maîtresse.»

Eunice tenta de parler, mais seul un murmure confus

sortit de ses lèvres exsangues. Christopher leva les yeux. Quelque chose dans l'expression d'Eunice l'irrita. Il repoussa sa chaise avec impatience.

«Ne monte pas sur tes grands chevaux, Eunice, c'est inutile. Essaie de faire preuve de bon sens. Je t'aime bien, c'est vrai, mais un homme doit faire passer sa femme en premier. Je vais te donner de quoi vivre confortablement.»

«Est-ce que tu veux dire que ta femme va me mettre à la porte?» bredouilla Eunice.

Christopher fronça ses sourcils roux.

«Je veux simplement dire que Victoria refusera de m'épouser si elle doit vivre avec toi. Tu lui fais peur. Je l'ai assurée que tu ne te mêlerais pas de ses affaires, mais elle n'a pas été satisfaite. C'est ta faute, Eunice. Tu as toujours été si bizarre et renfermée que les gens te prennent pour une folle. Victoria est jeune et vivante et vous ne pourriez pas vous entendre. Il n'est pas question de te mettre à la porte. Je vais te construire une petite maison quelque part, et tu t'y sentiras beaucoup mieux qu'ici. Alors, n'en fais pas tout un plat.»

Eunice n'avait pas l'air sur le point de faire un plat de quoi que ce soit. Elle était pétrifiée, assise, les mains sur les genoux, paumes en l'air. Christopher se leva, plus que soulagé que la terrible explication soit finie.

«J'pense que j'vais aller me coucher. Tu aurais dû le faire depuis longtemps. C'est insensé de m'attendre comme ça.»

Lorsqu'il fut parti, Eunice poussa un long soupir et regarda autour d'elle, comme étourdie. Tous les chagrins de sa vie passée n'étaient rien auprès du désespoir qui l'assaillait maintenant.

Elle se leva et, d'une démarche incertaine, traversa le couloir et entra dans la chambre où sa mère était morte. Elle l'avait gardée fermée à clef et n'y avait rien déplacé; elle était exactement telle que Naomi Holland l'avait laissée. Eunice tituba jusqu'au lit et s'y effondra.

Elle se rappela la promesse faite à sa mère dans cette même chambre. Pourrait-elle y puiser la force de la tenir? Devait-elle être chassée de chez elle et séparée du seul être au monde qu'elle avait à aimer? Et Christopher permettrait-il cela, après tous les sacrifices qu'elle avait faits pour lui? Oh! oui, il le permettrait! Il préférait cette fille aux cheveux noirs et au teint de cire de la vieille maison Pye à sa propre sœur. Eunice porta les mains à ses yeux secs et brûlants et gémit à voix haute.

Caroline Holland eut son heure de triomphe auprès d'Eunice lorsqu'elle apprit la chose. Pour quelqu'un comme elle, il n'existait pas de plus grand plaisir que celui de dire: «Je t'avais avertie.» L'ayant dit, elle offrit cependant un refuge à Eunice. Electa Holland était décédée et Eunice pourrait sans doute la remplacer, si elle le voulait.

«Tu ne peux t'en aller vivre toute seule, lui dit Caroline. C'est de la folie pure. Nous te donnerons un foyer, Eunice, si Christopher te met dehors. Tu as été stupide de le dorloter comme ça. Voilà comment il te remercie, en te chassant comme un chien pour plaire à sa femme! Si ta mère était en vie, cela ne se passerait pas comme ça!»

C'était probablement la première fois que Caroline le souhaitait. Elle s'était précipitée comme une furie chez Christopher et avait été grossièrement insultée. Christopher lui avait dit de se mêler de ses affaires. Lorsqu'elle fut apaisée, elle fit des arrangements avec lui à propos d'Eunice, que cette dernière accepta avec indifférence. Son propre sort lui importait peu. Lorsque Christopher Holland fit entrer son épouse comme maîtresse de la maison où sa mère avait peiné et souffert, et qu'elle avait menée avec un gant de fer, Eunice était déjà partie. Elle avait pris la place d'Electa chez Charles Holland, une place de servante non rétribuée.

Charles et Caroline se montraient gentils avec elle et le travail ne manquait pas. Pendant cinq années, elle poursuivit une existence terne et incolore sans jamais passer le seuil de la maison où Victoria Holland régnait en maîtresse absolue, comme Naomi avant elle. Cédant à la curiosité, Caroline, une fois sa colère refroidie, leur rendit visite à l'occasion. À son retour, elle transmettait loyalement ses observations à Eunice.

Cette dernière ne trahit jamais aucun intérêt, sauf une fois. Cela se produisit lorsque Caroline lui apprit que Victoria avait fait ouvrir la chambre où sa mère était morte et l'avait transformée en boudoir. Pour Eunice, c'était une profanation. Son visage blême vira alors au cramoisi, et ses yeux lancèrent des étincelles. Mais elle ne fit aucun commentaire.

Elle savait, comme tout le monde, que la vie conjugale de Christopher Holland avait vite perdu son attrait et que ce mariage était un échec. Bien que ce fût injuste, c'était naturellement sur Victoria qu'elle rejetait le blâme et elle lui vouait une haine encore plus virulente. Christopher venait rarement chez Charles. Il avait peut-être honte. Il était devenu morose et taciturne, chez lui comme ailleurs. On prétendait qu'il s'était remis à boire.

Un automne, Victoria Holland se rendit en ville visiter sa sœur mariée. Elle amena leur unique enfant. Pendant son absence, Christopher s'occupa de la maison.

On se souvint longtemps de cet automne-là, à Avonlea. Un sentiment de terreur s'ajouta à la tristesse de voir tomber les feuilles et raccourcir les jours. Un soir, Charles Holland annonça la terrible nouvelle.

«Il y a cinq ou six cas de variole à Charlottetown. La maladie est arrivée sur un des navires. Il y a eu un concert et un marin d'un de ces bateaux y est allé. Le lendemain, la maladie s'est déclarée.»

Voilà qui était inquiétant. Charlottetown n'était pas très loin et il y avait beaucoup de va-et-vient entre la ville et les districts côtiers du nord.

Lorsque, le lendemain matin, Caroline parla de ce concert à Christopher, son visage rubicond blêmit. Il ouvrit la bouche, comme pour dire quelque chose, puis la referma. Ils étaient assis dans la cuisine. Caroline était venue rendre du thé qu'elle avait emprunté et en profitait pour voir comment la maison de Victoria était tenue pendant son absence. Comme elle avait les yeux très occupés à regarder partout, elle n'avait pas remarqué la pâleur et le mutisme de son neveu.

«Combien de temps la variole met-elle avant de se déclarer lorsqu'on a été en contact avec la maladie?» demanda-t-il brusquement lorsque Caroline se leva pour partir.

«De dix à quatorze jours, répondit-elle. Je dois faire vacciner les filles sans tarder. La maladie risque de se propager. Quand Victoria revient-elle?»

«Elle reviendra quand elle sera prête», se contenta de maugréer Christopher.

Une semaine plus tard, Caroline faisait remarquer à Eunice que Christopher avait une drôle de mine. «Il n'est pas sorti depuis une éternité. Il passe son temps dans la maison. J'imagine que c'est tellement tranquille, depuis que madame Victoria est partie, qu'il se repose les esprits. Je pense que je vais aller y faire un tour après avoir trait les vaches pour voir comment il va. Tu pourrais venir, toi aussi, Eunice.»

Celle-ci secoua la tête. Elle était aussi obstinée que sa défunte mère et franchir le seuil de la maison de Victoria, elle ne s'y résoudrait jamais. Elle continua donc à repriser des chaussettes, assise près de la fenêtre ouest, son lieu de prédilection, peut-être parce que, de là, elle pouvait apercevoir son foyer perdu, au bout du champ incliné et du croissant que formait au loin le bosquet d'érables.

Après la traite, Caroline jeta un châle sur sa tête et traversa le champ. La maison semblait solitaire et désertée. Comme elle tâtonnait pour ouvrir le loquet du portail, la porte de la cuisine s'ouvrit et Christopher Holland apparut sur le seuil.

«N'approchez pas», cria-t-il.

Caroline recula, éberluée. Cette nouvelle attitude était-elle encore l'œuvre de Victoria?

«Je n'ai pas la variole», rétorqua-t-elle, sarcastique.

Christopher ne releva pas le sarcasme.

«Voulez-vous retourner chez vous et demander à mon oncle d'aller chercher le Dr Spencer? C'est lui qui traite la variole. Je suis malade.»

Consternée et effrayée, Caroline recula de quelques pas chancelants.

«Malade? Qu'est-ce que tu as?»

«J'étais à Charlottetown ce soir-là et j'ai assisté au concert. Le marin était assis juste à côté de moi. À ce moment-là, j'ai trouvé qu'il n'avait pas l'air dans son assiette. C'est arrivé il y a douze jours. Depuis hier, je ne me sens pas bien. Envoyez chercher le docteur. N'approchez pas le la maison, et ne laissez personne approcher.»

Il rentra et ferma la porte. Caroline resta quelques instants figée de panique. Puis elle partit en courant à travers le champ, comme s'il en allait de sa propre vie. Eunice la vit et alla l'accueillir à la porte.

«Que Dieu ait pitié de nous! s'écria Caroline d'une voix étranglée. Christopher est malade et il pense qu'il a attrapé la variole. Où est Charles?»

Eunice tituba contre la porte. Sa main remonta sur sa poitrine, comme cela lui arrivait depuis quelque temps.

«Eunice, pourquoi fais-tu cela chaque fois que quelque chose te bouleverse? demanda sèchement Caroline. As-tu un point au cœur?»

«Je... je ne sais pas. Une petite douleur. C'est fini, à présent. Avez-vous dit que Christopher a... la variole?»

«Eh bien, c'est lui qui le prétend, et c'est plus que probable, vu les circonstances. Je n'ai jamais reçu un tel choc de ma vie, je t'assure. Quelle chose épouvantable! Il faut que je trouve Charles immédiatement. Nous aurons des centaines de choses à faire.»

Eunice l'entendit à peine. Son esprit était centré sur une seule idée. Christopher était malade, seul, elle devait y aller, peu importe quelle maladie il avait attrapé. Lorsque Caroline, hors d'haleine, rentra de la grange, elle trouva Eunice debout près de la table, son chapeau sur la tête, son châle sur les épaules, en train de ficeler un paquet.

«Eunice! Veux-tu bien me dire où tu vas?»

«À la maison, répondit Eunice. Si Christopher est malade, il doit être soigné, et c'est à moi que cette tâche revient. Il faut qu'on s'occupe de lui tout de suite.»

«Eunice Carr! As-tu complètement perdu l'esprit? Il a la variole, la variole! S'il l'a attrapée, il faut l'envoyer à l'hôpital où l'on traite les cas de variole en ville. Tu ne feras pas un pas vers cette maison.»

«J'y vais», coupa Eunice en fixant sa tante énervée d'un œil calme. L'étrange ressemblance avec sa mère, qui s'affichait dans les moments de grande tension, était tout à fait évidente. «Il n'ira pas dans cet hôpital, on ne s'y occupe jamais convenablement des malades. Il est inutile d'essayer de m'arrêter. Je ne vous mettrai pas, ni vous ni vos enfants, en danger.»

Désespérée, Caroline se laissa tomber sur une chaise. Elle comprenait qu'il ne servait à rien de discuter avec une femme aussi déterminée. Elle aurait voulu que Charles fût présent. Mais Charles était parti à toute vitesse chercher le médecin.

D'un pas décidé, Eunice s'engagea dans le sentier qui traversait le pré, sentier qu'elle n'avait pas emprunté depuis si longtemps. Elle ressentait une sorte d'allégresse. Christopher avait de nouveau besoin d'elle. L'usurpatrice qui s'était immiscée entre eux n'était pas là. Tout en marchant dans le crépuscule givré, elle se rappela la promesse faite à Naomi Holland, des années auparavant.

Christopher la vit venir et lui fit signe de s'en aller.

«N'approche pas, Eunice. Caroline ne t'a donc pas avertie? J'ai attrapé la variole.»

Eunice continua à avancer. Elle traversa la cour et gravit les marches. Il recula et tint la porte.

«Eunice, tu es folle, ma fille! Retourne chez toi avant qu'il ne soit trop tard.»

Eunice poussa résolument la porte et entra.

«Trop tard, à présent. Je suis ici et j'ai l'intention de rester pour te soigner, si tu as la variole. C'est peut-être autre chose. En ce moment, dès qu'une personne a mal à un doigt, elle pense avoir attrapé la variole. De toute façon, quelle que soit ta maladie, tu devrais être au lit avec quelqu'un pour s'occuper de toi. Tu vas t'enrhumer. Laisse-moi faire de la lumière et t'examiner.»

Christopher s'était effondré sur une chaise. Son égoïsme

naturel avait repris le dessus et il ne fit aucun autre effort pour dissuader sa sœur de rester. Eunice prit une lampe et la posa sur la table en face de lui, puis examina attentivement son visage.

«Tu as l'air fiévreux. Qu'est-ce que tu ressens? Quand les symptômes sont-ils apparus?»

«Hier après-midi. J'ai des frissons, des bouffées de chaleur et des points dans le dos. Crois-tu que ce soit la variole, Eunice? Est-ce que je vais mourir?»

Il agrippa les mains de sa sœur et l'implora du regard, comme un enfant. Eunice sentit une vague d'amour et de tendresse submerger son cœur affamé.

«N'aie pas peur. Bien des gens se sont rétablis de la variole quand ils ont été bien soignés. Tu n'as aucune inquiétude à avoir, je vais veiller sur toi. Charles est allé chercher le médecin, il va nous dire ce que tu as. En attendant, va te coucher.»

Elle enleva son chapeau et son châle, et les suspendit. Elle se sentait autant chez elle que si elle n'avait jamais quitté cette maison. Elle avait retrouvé son royaume, et personne n'était là pour lui disputer ce droit. Lorsque le Dr Spencer et le vieux Giles Blewett, qui avait eu la variole dans sa jeunesse, arrivèrent deux heures plus tard, ils constatèrent qu'Eunice avait sereinement pris les choses en main. La maison était en ordre et empestait le désinfectant. Le boudoir de Victoria avait été vidé de ses jolis meubles et bibelots. Comme il n'y avait pas de chambre au rez-de-chaussée, c'était dans cette pièce qu'il fallait installer Christopher.

Le médecin prit un air grave.

«Je n'aime pas ça, dit-il, mais je ne suis pas encore tout à fait certain. S'il s'agit de la variole, l'éruption apparaîtra probablement demain matin. Je dois admettre qu'il présente la plupart des symptômes. Voulez-vous qu'on l'envoie à l'hôpital?»

«Il n'en est pas question, trancha Eunice. C'est moi qui vais le soigner. Je n'ai pas peur. Je suis forte et en bonne santé.»

Le docteur hocha la tête.

«Très bien. Avez-vous été vaccinée récemment?»

«Oui.»

«Eh bien, il n'y a rien d'autre à faire pour le moment. Vous feriez mieux de vous allonger et d'économiser vos forces.»

Mais Eunice en était incapable. Il y avait trop de choses à faire. Elle alla ouvrir la fenêtre du couloir. Un peu plus loin, à une distance sûre, Charles Holland attendait. Le vent glacé souffla à Eunice l'odeur des désinfectants dont il s'était badigeonné.

«Qu'est-ce que dit le docteur?» cria-t-il.

«Il croit que c'est la variole. Avez-vous fait avertir Victoria?»

«Oui. Jim Blewett est allé en ville lui annoncer la nouvelle. Elle va rester chez sa sœur jusqu'à ce qu'il n'y ait plus de danger. C'est évidemment la meilleure chose à faire, dans son cas. Elle est terrifiée.»

Eunice esquissa une moue méprisante. Pour elle, une femme pouvant abandonner son mari, quelle que fût sa maladie, était une créature incompréhensible. Mais c'était mieux ainsi, elle aurait Christopher pour elle seule.

Si la nuit fut longue et épuisante, le matin arriva pourtant trop tôt, apportant une certitude effrayante. Le médecin déclara qu'il s'agissait de la variole. Contre tout espoir, Eunice avait espéré. Connaissant à présent le pire, elle se montrait calme et résolue. À midi, l'affreux drapeau jaune flottait au-dessus de la maison et tous les arrangements avaient été pris. Caroline allait faire la cuisine tandis que Charles apporterait la nourriture qu'il laisserait dans la cour. Le vieux Jim Blewett viendrait tous les jours pour s'occuper du bétail et aider Eunice à soigner le malade. C'est ainsi que commença le long combat contre la mort. Et ce fut vraiment un dur combat. Entre les griffes de la hideuse maladie, Christopher était devenu un objet si repoussant qu'on aurait pardonné à ses proches de reculer devant lui. Mais jamais Eunice ne faiblit, jamais elle ne quitta son poste. S'il lui arrivait de somnoler sur une chaise près du lit, jamais elle ne se coucha. Son endurance était extraordinaire, sa patience et sa tendresse, quasi surhumaines. Elle allait et venait sans bruit, affairée, gardant pendant ces journées terribles et interminables un sourire serein aux lèvres, et ses yeux noirs et tristes avaient la ferveur de ceux d'un saint dont la statue orne la niche d'une cathédrale obscure. Pour elle, le monde se résumait à cette chambre nue où gisait l'objet répugnant qu'elle aimait.

Un jour, le docteur prit un air particulièrement grave. Il avait, au cours de sa vie, été le témoin de tant de scènes pitoyables qu'il s'était endurci, et pourtant, il craignait d'apprendre à Eunice qu'elle allait perdre son frère. Jamais il n'avait vu un tel dévouement. Il lui paraissait cruel de lui dire que ses efforts avaient été inutiles. Mais Eunice l'avait compris toute seule. Elle accepta calmement la chose, du moins le médecin le crut-il. Et elle finit par avoir sa récompense. Si minime fut-elle, Eunice la considéra comme amplement satisfaisante. Un soir, Christopher Holland ouvrit ses yeux enflés au moment où elle se penchait sur lui. Ils étaient seuls dans la vieille maison. Dehors, il pleuvait, et la pluie cognait contre les carreaux. Christopher sourit à sa sœur de ses lèvres parcheminées et tendit faiblement la main vers elle.

«Eunice, murmura-t-il, tu as été la meilleure des sœurs. Je t'ai traitée injustement, pourtant tu es restée avec moi jusqu'à la fin. Dis à Victoria... dis-lui... d'être bonne pour toi...»

Le murmure s'éteignit en un son inarticulé. Eunice Carr était seule avec la mort.

Le lendemain, on se hâta d'enterrer Christopher Holland dans la plus stricte intimité. Le médecin désinfecta la maison, et Eunice y demeurerait jusqu'à ce que tout danger soit écarté. D'autres arrangements seraient pris à ce moment-là. Elle n'avait pas versé une larme. Le docteur pensa qu'elle était bizarre, tout en éprouvant à son égard une grande admiration. Il lui déclara qu'il n'avait jamais connu de meilleure infirmière. Pour Eunice, éloges ou blâmes n'avaient plus d'importance. Sa vie avait perdu quelque chose d'essentiel et elle se demandait comment elle pourrait supporter les sombres années à venir.

Tard ce soir-là, elle entra dans la chambre où sa mère et son frère étaient morts. La fenêtre étant ouverte, elle accueillit avec gratitude l'air pur et frais après avoir si longtemps respiré l'atmosphère saturée de médicaments. Elle s'agenouilla près du lit à la couverture rayée.

«Maman, dit-elle à voix haute, j'ai tenu ma promesse.»

Lorsque, longtemps après, elle essaya de se relever, elle chancela et tomba en travers du lit, une main pressée contre son cœur. C'est ainsi que le vieux Giles Blewett la retrouva le lendemain matin. Il y avait un sourire sur son visage.

13

Le cas de conscience de David Bell

Eben Bell entra avec une brassée de bois qu'il laissa bruyamment tomber dans la boîte à côté du poêle Waterloo qui, rougeoyant et réchauffant la petite cuisine, transformait cette pièce plutôt laide en un endroit sympathique.

«Voilà, sœurette, c'était la dernière corvée sur ma liste. Bob est en train de traire les vaches. Tout c'qu'il me reste à faire, c'est d'mettre un col blanc pour la réunion. On peut dire que le village d'Avonlea s'est réveillé depuis la venue de cet évangéliste, pas vrai?»

Mollie Bell hocha la tête. Elle était à friser ses cheveux devant le minuscule miroir suspendu au mur blanchi à la chaux, et qui déformait son visage blanc, au teint de porcelaine, en une caricature grotesque.

«J'me demande qui va se lever, ce soir, reprit Eben d'un air songeur, en s'asseyant sur le bord de la boîte à bois. Il doit plus rester beaucoup de pécheurs à Avonlea, à part quelques types endurcis comme moi.»

«Tu ne devrais pas parler comme ça, protesta Mollie. Si papa t'entendait.»

«Papa m'entendrait pas même si j'criais dans ses oreilles, rétorqua Eben. Ces jours-ci, on dirait qu'il vit dans un rêve, ou plutôt un cauchemar. Papa a toujours été bon. Qu'est-ce qui lui arrive?»

«Je ne sais pas, répondit Mollie en baissant la voix. Maman est morte d'inquiétude à son sujet. Et tout le monde jase, Eb. Ça commence à m'énerver. Hier soir, Flora Jane Fletcher m'a demandé pourquoi papa n'a jamais témoigné, alors qu'il fait partie des marguilliers. Elle a dit que le pasteur se pose des questions. Je me suis sentie rougir.»

«Pourquoi tu lui as pas répondu que ça la regardait pas? demanda Eben, fâché. La vieille Flora Jane devrait se mêler de ses oignons.»

«Mais tout le monde en parle, Eb. Et maman se ronge les sangs à ce sujet. Papa n'est plus le même depuis que ces réunions ont commencé. Il se contente de s'y rendre tous les soirs et de rester comme une momie, la tête baissée. Et presque tous les gens d'Avonlea ont déjà témoigné.»

«Oh! non, il y en a beaucoup qui l'ont pas encore fait, dit Eben. Matthiew Cuthbert n'a jamais témoigné, ni l'oncle Elisha, ni aucun des White.»

«Mais comme chacun sait qu'ils n'y croient pas, cela ne surprend personne. De plus, continua Mollie en riant, même s'il y croyait, Matthew ne pourrait jamais prononcer une parole en public. Il est bien trop timide. Mais, soupira-t-elle, ce n'est pas le cas pour papa. Il y croit, lui. Alors les gens se demandent pourquoi il ne se lève pas. Quand on pense que même le vieux Josiah Sloane témoigne tous les soirs.»

«Avec ses moustaches hérissées et ses cheveux ébouriffés», interrompit Eben.

«Quand le pasteur demande des témoignages et que tout le monde regarde notre banc, j'ai tellement honte que je voudrais me retrouver sous le plancher, soupira Mollie. Si seulement papa se levait, rien qu'une fois!»

À ce moment-là, Miriam Bell entra dans la cuisine. Elle était prête pour la réunion, où devait l'accompagner Major Spencer. C'était une grande fille pâle, à l'expression sérieuse, aux yeux sombres et méditatifs, totalement différente de Mollie. Elle avait eu la «révélation» lors de ces réunions et s'était à plusieurs reprises levée pour témoigner. L'évangéliste la considérait comme très mystique. Elle avait entendu la dernière phrase de Mollie et la réprimanda.

«Tu ne devrais pas critiquer notre père, Mollie. Ce n'est pas à toi de le juger.»

Eben s'était rapidement glissé hors de la pièce. Il avait peur que Miriam ne se mette à l'entretenir de religion. Il avait eu toutes les peines du monde à échapper aux exhortations de Robert dans l'étable. Il n'y avait pas de paix pour les récalcitrants à Avonlea. Robert et Miriam avaient tous deux eu la «révélation» et Mollie était sur le point de céder aux pressions.

«Papa et moi sommes les moutons noirs de la famille», dit-il en riant. Il se sentit aussitôt coupable de cette pensée. Il avait été élevé dans le strict respect des sujets religieux. Si, en surface, il pouvait parfois sembler s'en moquer, il était pourtant troublé dans les profondeurs de son être quand il les traitait avec désinvolture.

À l'intérieur, Miriam toucha l'épaule de sa sœur et la regarda affectueusement.

«Vas-tu te décider, ce soir, Mollie?» demanda-t-elle d'une voix vibrante d'émotion.

Millie rougit et détourna la tête, gênée. Elle ne savait que dire et fut soulagée en entendant des grelots teinter, dehors: elle ne serait pas obligée de répondre.

«Voilà ton cavalier, Miriam», annonça-t-elle en se précipitant dans le salon.

Peu après, Eben amena le traîneau familial et sa robuste jument rousse devant la porte pour Mollie. Il n'avait pas encore accédé à la dignité d'en posséder un à lui, comme son frère aîné Robert qui sortait présentement de la maison recouvert de son manteau de fourrure neuf puis s'éloignait en faisant tinter ses clochettes.

«Il se prend pour le nombril du monde», remarqua Eben en esquissant un sourire fraternel.

En compagnie de sa sœur, il s'engagea dans l'allée, sous la voûte que formaient les branches des cerisiers sauvages scintillant de givre. Le riche crépuscule d'hiver teintait de pourpre le paysage immaculé. La neige craquait et crépitait. Un vent glacial gémissait dans les branches dénudées des cornouillers.

Au-dessus des arbres, le firmament était un dôme argenté où, à l'ouest, clignotaient une ou deux étoiles. Ici-bas, on apercevait d'accueillantes lumières là où les maisons étaient blotties douillettement au milieu de leurs vergers ou de leurs bosquets de bouleaux.

«L'église va être bondée, ce soir, dit Eben. Il fait si beau que les gens vont venir de partout. Ça va être excitant, j'imagine.»

«Si seulement papa se décidait à témoigner! soupira Mollie du fond du traîneau, au chaud parmi les fourrures et la paille. Quoi qu'en dise Miriam, j'ai l'impression que toute la famille est déshonorée. Ça me donne des frissons dans le dos quand j'entends M. Bentley demander "À présent, est-ce que quelqu'un veut encore dire un mot pour Jésus?" en regardant papa dans les yeux.»

Eben fouetta sa jument qui partit au trot. On percevait, à travers le silence, une petite mélodie féerique; c'était, un peu plus loin sur la route, un traîneau rempli de jeunes qui se rendaient à l'office en chantant des cantiques.

«Dis donc, Mollie, finit par demander Eben d'un air étrange, est-ce que tu vas te lever pour les prières, ce soir?»

«Je... je ne peux pas le faire tant que papa n'aura pas changé de comportement, bredouilla Mollie. Je veux le faire, Eb, et Bob et Mirry le veulent aussi, mais c'est impossible. Tout ce que j'espère, c'est que l'évangéliste ne s'adressera pas personnellement à moi, ce soir. Je me sens toujours déchirée quand il le fait.»

À la maison, dans la cuisine, Mme Bell attendait que son mari fît avancer le cheval devant la porte. C'était une petite femme mince aux yeux sombres, aux joues maigres et vermeilles. Sous son bonnet recouvert de châles, son visage avait une expression triste et troublée. À intervalles irréguliers, elle soupirait profondément.

Le chat émergea de dessous le poêle et s'approcha d'elle en s'étirant avec langueur et en bâillant jusqu'à ce que fût révélée la caverne écarlate de sa bouche et de sa gorge. À cet instant, il ressembla insolitement au marguillier Joseph

Blewett de White Sands, Joe le tigre, comme le surnommaient les gamins irrespectueux, lorsqu'il s'excitait et se mettait à hurler. Mme Bell constata cette ressemblance puis se reprocha sa pensée sacrilège.

«Pas étonnant que j'aie de mauvaises pensées, dit-elle mélancoliquement. J'suis si inquiète que je ne suis plus moi-même. Si seulement il me confiait son problème, je pourrais peut-être l'aider. Au moins, je saurais de quoi il s'agit. Ça me fait tellement mal de le voir comme une âme en peine, jour après jour, la tête basse et l'air d'avoir un affreux crime sur la conscience, lui qui n'a jamais fait de mal à une mouche. Et cette façon qu'il a de grogner et de marmonner durant son sommeil! Il a toujours été un homme juste et honnête. Il n'a pas le droit de déshonorer ainsi sa famille.»

Le sanglot de colère de Mme Bell fut interrompu par l'arrivée du traîneau. La tête embroussaillée et grisonnante de M. Bell apparut dans l'embrasure de la porte.

«Prête, maman?» dit-il.

Il l'aida à monter dans le traîneau, l'emmaillotta dans les couvertures et plaça une brique chaude à ses pieds. La sollicitude de son mari la blessa. Il ne pensait qu'à son confort matériel, sans se préoccuper des souffrances morales que son attitude incompréhensible lui faisait endurer. Pour la première fois depuis qu'ils étaient mariés, Mary Bell en voulut à son mari.

Ils glissèrent en silence le long des sapins saupoudrés de neige et sous la voûte des arbres de la forêt. Ils étaient en retard et tout était silencieux. David Bell restait muet. Lui qui avait l'habitude d'avoir la langue bien pendue n'ouvrait plus la bouche depuis que ces réunions avaient commencé à Avonlea. Depuis la première, il avait l'air d'un homme à qui on a jeté un sort et ne semblait pas avoir conscience de ce qu'on pouvait dire ou penser de lui au sein de sa famille comme à l'église. Mary Bell se dit qu'elle deviendrait folle si son mari ne changeait pas d'attitude. Ses pensées étaient amères et révoltées pendant qu'ils glissaient dans cette scintillante nuit d'hiver.

«Je ne retire aucun bien de ces réunions, songea-t-elle avec rancœur. Elles ne m'apportent ni paix ni joie, même quand je me lève pour témoigner puisque David reste assis, comme s'il était changé en statue de sel. S'il s'était opposé à la venue de cet évangéliste, comme le vieil oncle Jerry, ou s'il ne croyait pas en ces témoignages publics, cela me serait égal. Je comprendrais. Mais dans la situation, je me sens terriblement humiliée.»

C'était la première fois que des réunions pour le renouveau de la foi avaient lieu à Avonlea. L'«oncle» Jerry Mac-Pherson, autorité locale suprême sur les questions religieuses, dont l'avis avait plus de poids que même celui du pasteur, s'y était farouchement opposé. C'était un Écossais austère et profondément dévot qui détestait les manifestations émotives en matière de religion. Tant que sa silhouette ascétique et que son visage aux traits burinés et à la mâchoire carrée s'étaient tenus dans le coin habituel près de la fenêtre nord-ouest de l'église d'Avonlea, aucun évangéliste n'avait osé s'y aventurer, même si la majorité de la congrégation, y compris le pasteur, l'aurait chaleureusement accueilli.

Mais à présent, l'oncle Jerry reposait paisiblement sous les broussailles et la neige du cimetière et, s'il arrive que les morts se retournent dans leur tombe, l'oncle Jerry a dû se retourner dans la sienne quand l'évangéliste est entré dans l'église d'Avonlea et qu'ont suivi les services émotionnels et l'excitation religieuse que l'âme sévère du vieillard avait toujours exécrés.

Avonlea était une terre fertile pour un évangéliste. Le Révérend Geoffrey Mountain, qui était venu aider le pasteur à régénérer les carcasses desséchées d'Avonlea, le savait et s'en réjouissait. À cette époque, il était rare de tomber sur une paroisse aussi candide comptant autant d'âmes impressionnables et pures sur lesquelles de ferventes exhortations joueraient bien, comme un virtuose sur un orgue de qualité, jusqu'à ce que chaque note s'éveille et se mette à vibrer. Le Révérend Geoffrey Mountain était bon. Il était peut-être terre-à-terre, mais sa sincérité et sa foi indiscutables compensaient certainement le sensationnalisme de certaines de ses méthodes.

Il était costaud et de belle apparence et possédait une voix merveilleusement douce et geignarde, une voix pouvant fondre en une tendresse irrésistible, s'enfler en exhortations et condamnations vibrantes ou sonner comme une trompette rassemblant les troupes pour le combat.

Ses fréquentes erreurs grammaticales et ses lapsus souvent vulgaires n'étaient rien comparés à son charme, et il savait donner aux mots les plus banals le pouvoir de la vraie prière. Il connaissait sa valeur et s'en servait efficacement, peut-être même avec une certaine ostentation.

La religion et les méthodes de Geoffrey Mountain étaient, tout comme lui-même, spectaculaires, mais elles étaient généreuses et sincères et quoique le bien qu'il accomplît était peut-être mêlé d'autre chose, il était loin d'être une quantité négligeable.

C'est ainsi que le Révérend Geoffrey Mountain arriva à Avonlea, déterminé à en faire la conquête. Soir après soir, l'église se remplissait d'auditeurs avides suspendus à ses lèvres et retenant leur souffle, pleurant, vibrant et exultant selon son bon vouloir. Dans plusieurs jeunes âmes, ses appels et ses avertissements faisaient leur chemin et, chaque soir, on se levait pour prier en réponse à son invitation. Les chrétiens plus âgés prenaient eux aussi un bain d'intensité, et même les irréductibles et les railleurs se laissaient quelque peu fasciner par ces réunions. Jeunes et vieux, convertis ou non, tous se sentaient inavouablement attirés par un sentiment de dissipation religieuse. Car Avonlea était un endroit tranquille, et ces réunions étaient vivantes.

Lorsque David et Mary Bell arrivèrent à l'église, l'office était déjà commencé et ils entendirent l'alléluia d'un cantique en traversant le pré d'Harmon Andrews. David Bell laissa son épouse sur le parvis de l'église et alla conduire son cheval à l'écurie.

Mme Bell dénoua son châle et le secoua pour en faire tomber les cristaux de givre. Dans le porche, Flora Jane Fletcher chuchotait avec sa sœur, Mme Harmon Andrews. Flora Jane tendit une main molle, gantée de cachemire, et agrippa le châle de Mme Bell.

«Votre mari va-t-il témoigner, ce soir, Mary?» murmura-t-elle.

Mme Bell tressaillit. Elle aurait beaucoup donné pour pouvoir dire «Oui», mais elle dut se contenter de répondre sèchement:

«Je ne sais pas.»

Flora Jane pointa le menton.

«Ma foi, Mme Bell, je vous le demande parce que tout le monde trouve bizarre qu'il ne le fasse pas, surtout lui, un marguillier. On dirait qu'il ne se considère pas comme un chrétien, vous savez. Nous savons évidemment que c'est faux, mais ça ressemble à ça. Si j'étais vous, je lui dirais que ça fait jaser les gens. M. Bentley prétend que son attitude empêche le plein succès des réunions.»

Mme Bell se tourna rageusement vers celle qui la tourmentait ainsi. Si elle-même en voulait à son mari de sa conduite étrange, elle ne permettait à personne d'oser le critiquer devant elle.

«Je ne pense pas que vous ayez raison de vous inquiéter du marguillier, Flora Jane, répliqua-t-elle d'un ton mordant. Ceux qui le calomnient ne sont peut-être pas les meilleurs des chrétiens. Je présume que, pour ce qui est de se montrer à la hauteur de sa position, mon mari n'a rien à envier à Levi Boulter, qui se lève pour témoigner tous les soirs et trompe les gens sans vergogne pendant la journée.»

Levi Boulter était un veuf d'âge mûr père d'une famille nombreuse qui était censé convoiter la main de Flora Jane. Le coup porta et réduisit Flora Jane au silence. Trop en colère pour parler, elle agrippa le bras de sa sœur et se hâta de l'entraîner dans l'église.

Cette victoire ne réussit cependant pas à retirer du cœur de Mary l'épine que les paroles de Flora Jane avaient plantée. Lorsque son mari arriva sur le parvis, elle posa, d'un air implorant, la main sur son bras couvert de neige.

«Oh! David, est-ce que tu vas te lever, ce soir? Je suis si malheureuse, les gens jasent, et cela m'humilie.»

David Bell baissa la tête comme un écolier pris en faute.

«J'peux pas, Mary, répondit-il d'une voix rauque. Inutile de me harceler.»

«Ça t'est égal de me faire de la peine, reprit amèrement sa femme. Et tant que tu agiras ainsi, Mollie refusera de témoigner. Tu l'empêches d'être sauvée. Et tu entraves le succès de la réunion, c'est M. Bentley qui le dit.»

David Bell grogna. Cette marque de souffrance déchira le cœur de Mary. Se repentant aussitôt, elle chuchota:

«Peu importe, David. Je n'aurais pas dû te parler comme ça. Tu sais ce que tu as à faire. Viens, entrons.»

«Attends, dit-il, l'air suppliant. Est-ce vrai que j'empêche Mollie d'être touchée par la grâce? Est-ce que j'obstrue la lumière de cette enfant?»

«Je... je ne sais pas. J'imagine que non. Mollie n'est encore qu'une petite jeune fille un peu fofolle. Ne t'en fais pas. Viens.»

Découragé, il la suivit à l'intérieur et remonta l'allée jusqu'à leur banc, au centre de l'église. L'édifice était chaud et bondé. Le pasteur était en train de lire un extrait de la Bible. Dans le chœur, derrière lui, David aperçut le visage enfantin de Mollie, empreint d'une gravité troublée. Sa souffrance intérieure tordit son propre visage basané et ses sourcils gris en broussailles. Il poussa un soupir qui ressemblait à une plainte.

«Je dois le faire», se dit-il, mortifié.

Après que plusieurs hymnes eurent été chantés et que les retardataires se furent pressés dans les allées, l'évangéliste se dressa. Ce soir-là, il avait opté pour le style tendre, implorant, solennel. Sa voix avait pris une douceur enchanteresse pour s'adresser aux auditeurs qui retenaient leur souffle et faire vibrer les âmes d'une émotion subtile. Plusieurs des femmes présentes se mirent à pleurer sans bruit tandis que des amen fervents ponctuaient le sermon de l'évangéliste. Lorsque ce dernier se rassit, après avoir lancé un dernier appel qui était un chef-d'œuvre du genre, on perçut un soupir de soulagement qui passait au-dessus de l'auditoire comme une vague.

Après la prière, le pasteur annonça, comme d'habitude, que les personnes présentes désirant se lever et venir se placer aux côtés du Christ pouvaient le faire savoir en se levant un moment à leur place. Un instant plus tard, un garçon pâle sous le jubé se leva, suivi par un vieillard à l'avant de l'église.

Une fillette d'une douzaine d'années, au visage d'ange terrifié, se leva en tremblant et la réunion fut submergée d'émotion lorsque sa mère se dressa soudain à ses côtés. L'évangéliste fit entendre un «Merci, mon Dieu» vibrant et insistant.

David lança un regard presque implorant en direction de Mollie. Mais elle resta assise, les yeux baissés. Plus loin, dans le grand banc près du poêle, il vit Eben, penché en avant, les coudes sur les genoux, fixant le sol d'un air renfrogné.

«Je suis un obstacle pour mes deux enfants», songea amèrement David.

On entonna un cantique et on offrit une prière pour ceux qui avaient la «révélation». Ensuite, l'évangéliste demanda les témoignages d'une voix si vibrante que chacune des personnes présentes se sentit personnellement appelée.

Un grand nombre de témoignages suivirent, chacun portant la marque de la personnalité de celui ou celle qui le faisait. La plupart des témoignages furent brefs et stéréotypés. Il y eut enfin une pause. L'évangéliste balaya ensuite l'assistance d'un regard acéré et s'exclama, suppliant:

«Est-ce que chacun des chrétiens ici ce soir a dit une parole pour le Maître?»

Plusieurs personnes n'avaient pas témoigné, pourtant tous les yeux suivirent le regard accusateur que le pasteur porta en direction du banc des Bell. Mollie devint écarlate de honte. Mme Bell se recroquevilla manifestement.

Même si tous les regards étaient fixés sur David Bell, personne ne s'attendait à le voir se lever pour témoigner; c'est pourquoi un murmure de surprise se fit entendre lorsqu'il se dressa à sa place. Puis, un silence si total qu'il en était terrible tomba. Pour David Bell, ce silence parut posséder quelque chose d'un jugement définitif.

À deux reprises, il ouvrit la bouche et essaya en vain de parler. La troisième fois, il réussit, mais sa voix résonnait étrangement à ses oreilles. De ses mains noueuses, il agrippa le dossier du banc devant lui et fixa les yeux sur le texte de l'Engagement du chrétien suspendu au-dessus des têtes, dans le chœur.

«Mes bien chers frères, mes bien chères sœurs, commença-t-il d'une voix rauque, avant d'être capable de prononcer un mot de témoignage chrétien, j'ai quelque chose à confesser. Cela pèse lourd sur ma conscience depuis que ces réunions ont commencé. Tant que je gardais le silence à ce sujet, il m'était impossible de me lever et de témoigner pour le Christ. Plusieurs d'entre vous s'attendaient à ce que je le fasse. J'ai peut-être été un obstacle pour certains. Ces réunions ne m'ont apporté aucune bénédiction à cause de mon péché, dont je me suis repenti mais que j'ai essayé de cacher. Une obscurité spirituelle planait au-dessus de moi.

Amis et voisins, vous m'avez toujours considéré comme un honnête homme. C'est la honte de vous apprendre que vous vous trompiez qui m'a empêché de me confesser et de témoigner. Juste avant le début de ces réunions, en rentrant chez moi, un soir, je me suis aperçu que quelqu'un m'avait refilé un faux billet de dix dollars. C'est alors que Satan est entré en moi et m'a possédé. Lorsque Mme Rachel Lynde s'est présentée le lendemain pour quêter au nom des missions étrangères, je lui ai remis ce billet confrefait. Elle ne s'est aperçue de rien et l'a envoyé avec le reste. Mais moi, je savais que j'avais commis un acte mesquin, un péché. Je ne pouvais cesser d'y penser. Quelques jours plus tard, je suis allé trouver Mme Rachel et lui ai donné un vrai billet. Je lui ai expliqué que j'en étais venu à la conclusion que mon abondance me permettait de donner plus que dix dollars au Seigneur. C'était un mensonge. Mme Lynde crut que j'étais généreux, et j'eus honte de la regarder en face. Pourtant, ayant fait ce que je pouvais pour réparer le mal, j'ai pensé que tout irait bien. Mais il en a été autrement. Depuis, ma conscience et mon esprit n'on pas connu un seul instant de répit. J'ai essayé de tricher avec Dieu, puis j'ai tenté de camoufler mon péché par un geste qui augmentait mon crédit terrestre. Lorsque ces réunions ont commencé et que tout le monde s'attendait à ce que je témoigne, je n'ai pu le faire. Cela aurait ressemblé à un blasphème. Et j'étais incapable de supporter l'idée d'avouer ma faute. Mille fois, j'ai essayé de me convaincre moi-même que, tout compte fait, je n'avais fait aucun mal, mais ce fut inutile. Ma complaisance dans mon propre malheur m'aveuglait tellement que je ne voyais pas à quel point ma conduite faisait souffrir les miens et empêchait peut-être même certains de s'engager sur les chemins de la rédemption. Mais mes yeux se sont ouverts ce soir, et le Seigneur m'a donné la force de confesser mon péché et de glorifier Son saint nom.»

La voix brisée se tut et David Bell se rassit, essuyant les grosses gouttes de sueur sur son front. Pour un homme de sa condition, aucune épreuve n'aurait pu être plus douloureuse que celle par laquelle il venait de passer. Mais sous le tumulte de son émotion, il éprouva un grand calme et un apaisement où se mêlait la joie d'avoir remporté une victoire spirituelle.

Un silence solennel envahit l'église entière. L'évangéliste ne prononça pas son «amen» avec sa ferveur onctueuse habituelle, mais avec douceur et respect. Malgré sa carapace grossière, il était capable d'apprécier la noblesse d'une telle confession et la profondeur de la souffrance qu'elle exprimait.

Avant la dernière prière, le pasteur fit une pause et jeta un regard circulaire.

«Y a-t-il encore quelqu'un, demanda-t-il gentiment, qui souhaite une pensée spéciale dans notre prière finale?»

Pendant un instant, personne ne bougea. Puis, Mollie Bell se leva dans le chœur et, près du poêle, Eben, relevant son jeune visage enflammé, se dressa résolument au milieu de ses compagnons.

«Merci, mon Dieu», chuchota Mary Bell.

«Amen», dit son mari d'une voix voilée.

«Prions», conclut M. Bentley.

14

Rien qu'un gars ordinaire

Le matin du mariage de ma chérie, je me réveillai de bonne heure et me rendis dans sa chambre. Elle m'avait autrefois promis que ce serait moi qui la réveillerais le jour de son mariage.

«Tu as été la première à me prendre dans tes bras à ma naissance, tante Rachel, avait-elle dit, et quand viendra ce jour merveilleux, je veux que tu sois la première à me féliciter.»

Mais il y avait longtemps de cela et à présent, mon cœur pressentait qu'elle n'aurait pas besoin d'être réveillée. Mon intuition ne m'avait pas trompée. Elle était étendue là, très calme, une main sous la joue et ses grands yeux bleus fixés sur la fenêtre à travers laquelle s'insinuait une lumière blafarde, sans joie, une lumière qui donnait le frisson. Je me sentais plus près des larmes que du rire et j'eus le cœur serré en la voyant là, si pâle et si patiente, ressemblant à une fille attendant son suaire plutôt que son voile de mariée. Elle me sourit pourtant courageusement lorsque je m'assis sur le lit et lui pris la main.

«On dirait que tu n'as pas fermé l'œil de la nuit, ma chérie», remarquai-je.

«En effet, je n'ai pas beaucoup dormi, me répondit-elle. Mais la nuit ne m'a pas paru trop longue, au contraire. Je songeais à des tas de choses. Quelle heure est-il, tante Rachel?»

«Cinq heures.»

«Il ne reste plus que six heures avant de...»

Elle se dressa soudain dans son lit, son épaisse chevelure brune tombant sur ses épaules blanches, se jeta dans mes bras et éclata en sanglots contre ma poitrine. Je la caressai et la consolai en silence et après quelques instants, elle cessa de pleurer. Mais elle garda sa tête contre moi de façon à m'empêcher de voir son visage.

«Nous n'avions jamais imaginé que cela se passerait comme ça, n'est-ce pas, tante Rachel?» dit-elle très doucement.

«Et ça ne devrait pas être ainsi», rétorquai-je. Il fallait que je le dise. Je ne pouvais cacher ce que je pensais de ce mariage, ni faire semblant de l'accepter. Je savais parfaitement bien que tout était l'œuvre de sa belle-mère. Autrement, jamais ma chérie n'aurait choisi Mark Foster.

«Ne parlons plus de cela», reprit-elle d'un air doux et suppliant, exactement comme lorsqu'elle n'était qu'une enfant et qu'elle essayait de me convaincre de faire quelque chose. «Parlons d'autrefois... et de *lui*.»

«Je ne vois pas à quoi cela servirait de parler de *lui* quand tu vas épouser Mark Foster aujourd'hui même.»

Mais elle mit sa main sur ma bouche.

«C'est la dernière fois, tante Rachel. À partir de tout à l'heure, je ne pourrai plus jamais parler de lui, ni même y penser. Il y a quatre ans qu'il est parti. Te souviens-tu de quoi il avait l'air, tante Rachel?»

«Assez bien, j'imagine», dis-je, plutôt sèchement. C'était vrai. Owen Blair n'avait pas un visage qu'on pouvait oublier: allongé, au teint clair et avec des yeux faits pour exprimer l'amour à une femme. Cela me rendait malade de penser au teint cireux et aux mâchoires molles de Mark Foster. Ce n'était pas que Mark fût laid, non. C'était juste un gars ordinaire.

«Il était si beau, n'est-ce pas, tante Rachel? poursuivit ma chérie avec patience. Si grand, si fort, si beau. Je regrette tant que nous nous soyons séparés fâchés. Nous avons été fous de nous quereller. Mais cela se serait arrangé s'il avait vécu. Je sais que cela se serait arrangé. Je sais qu'il ne m'a pas gardé rancune jusqu'à sa mort. J'ai déjà pensé, tante Rachel, que je resterais toute ma vie fidèle à sa mémoire, puis que je le retrouverais dans l'au-delà et que tout serait comme avant, je n'appartiendrais qu'à lui. Mais cela ne sera pas.»

«À cause des cajoleries de ta belle-mère et des intrigues de Mark Foster», dis-je.

«Non, Mark n'a pas intrigué, dit-elle, prenant sa défense. Ne sois pas injuste envers lui, tante Rachel. Il s'est montré très bon et généreux.»

«Il est aussi stupide qu'un hibou et aussi têtu que la mule de Salomon, dis-je, car je devais le dire. C'est juste un type ordinaire et il se croit digne de toi, ma beauté.»

«Ne parle pas contre Mark, supplia-t-elle. J'ai l'intention d'être pour lui une épouse bonne et loyale. Mais je m'appartiens encore... encore quelques heures, et c'est à *lui* que je veux les donner. Mes dernières heures de jeune fille, c'est à *lui* qu'elles reviennent.»

Elle me parla donc de lui. J'étais assise et la tenais dans mes bras, ses beaux cheveux pendant sur mon bras et j'avais tant de peine pour elle que le cœur me faisait mal. Elle était moins malheureuse que moi parce qu'elle avait pris sa décision et s'était résignée. Elle allait épouser Mark Foster, mais son cœur était en France, dans cette tombe inconnue de tous où les Allemands avaient enterré Owen Blair — si toutefois ils l'avaient enterré. Et elle revécut tout ce qu'ils avaient été l'un pour l'autre à partir de leur plus tendre enfance; elle se rappela le temps où ils allaient à l'école ensemble, décidés, même à cette époque, à se marier plus tard; et les premiers mots d'amour qu'il lui avait dits, et tout ce qu'elle avait rêvé et espéré. Elle n'omit que la fois où il avait battu Mark Foster lorsque ce dernier avait apporté des pommes. Pas une fois elle ne mentionna le nom de Mark Foster. Elle ne parla que d'Owen, comment il était et ce qu'il aurait pu devenir s'il n'était pas allé se faire tuer à cette terrible guerre. Et j'étais là, la tenant contre moi et l'écoutant pendant que, triomphante, sa belle-mère dormait sur ses deux oreilles dans la chambre à côté.

Quand elle eut tout dit, elle se recoucha sur ses oreillers. Je me levai et descendis allumer le feu. Je me sentais affreusement vieille et fatiguée. Je traînais les pieds et mes yeux se remplirent de larmes, même si j'essayais de les refouler, car je savais que cela porte malheur de pleurer le jour d'un mariage.

Quelques instants plus tard, Isabella Clark descendit à son tour. Comme elle avait l'air en forme et de bonne humeur! Je n'avais jamais aimé Isabella, à partir du jour où le père de Philippa l'avait amenée ici. Et ce matin-là, je l'aimais encore moins. C'était une de ces femmes hypocrites, toujours en train de sourire mielleusement tout en complotant dans votre dos. Je dois cependant lui rendre cette justice qu'elle s'est toujours montrée bonne envers Philippa. Mais c'était à cause d'elle que ma chérie allait épouser Mark Foster ce jour-là.

«Vous vous êtes levée tôt, Rachel, dit-elle en souriant et sur ce ton gentil qu'elle avait toujours tout en me haïssant au fond de son cœur, comme je le savais bien. C'est bien, car nous avons beaucoup à faire, aujourd'hui. Un mariage occasionne beaucoup de travail.»

«Pas ce genre de mariage, répliquai-je avec amertume. Je n'appelle pas ça une noce lorsque deux personnes se marient à la sauvette comme s'ils en avaient honte, et dans ce cas-ci, c'est fort possible.»

«C'est Philippa elle-même qui désirait un mariage intime, reprit Isabella, onctueuse comme de la crème. Vous savez que j'aurais organisé une grosse réception, si elle l'avait souhaité.»

«Oh! C'est préférable ainsi. Moins il y aura de gens pour voir Philippa épouser un homme comme Mark Foster, mieux ce sera.»

«Mark Foster est bon, Rachel.»

«Un homme bon n'aurait pas acheté Philippa comme il l'a fait, dis-je, déterminée à avoir le dernier mot. C'est un type banal, indigne d'essuyer les pieds de ma chérie. C'est heureux que sa mère n'ait pas vécu pour voir ce jour; mais cela ne se serait jamais produit, si elle avait vécu.»

«J'imagine que la mère de Philippa se serait rappelé, autant que les plus mauvaises gens, que Mark Foster est très à l'aise», répliqua Isabella, d'un ton venimeux.

Je la préférais venimeuse que mielleuse; elle me faisait alors moins peur.

Le mariage devait être célébré à onze heures; à neuf heures, je montai pour aider Philippa à s'habiller. Ce n'était pas une mariée coquette, son apparence la laissant indifférente. La situation aurait été tout autre si Owen avait été le marié. Rien n'aurait été assez bien, alors. À présent, elle se contentait de dire «Ça va aller, tante Rachel», sans même jeter un regard.

Et pourtant, elle ne pouvait s'empêcher d'être adorable, une fois habillée. Même en haillons, ma chérie aurait été ravissante. Avec sa robe et son voile blancs, elle avait l'air d'une reine. Et son cœur était aussi bon que son visage était joli. Il s'agissait d'une bonté simple où se mêlaient de la gaieté et de l'insouciance, rendant son charme encore plus irrésistible.

Elle me demanda ensuite de sortir.

«Je veux passer ma dernière heure seule, m'expliqua-t-elle. Embrasse-moi, tante Rachel... *maman* Rachel.»

Lorsque je fus sortie, sanglotant comme la vieille folle que j'étais, j'entendis frapper à la porte. Je songeai d'abord à envoyer Isabella répondre, pensant que c'était Mark Foster qui se présentait à l'avance, et je n'avais pas le cœur de le recevoir. Je tremble encore à la pensée de ce qui serait arrivé si j'avais envoyé Isabella ouvrir.

J'allai néanmoins à la porte et l'ouvris, par provocation, espérant que ce fût Mark Foster pour qu'il pût voir les larmes couler sur mon visage. J'ouvris donc et reculai en titubant, comme si j'avais reçu un coup.

«Owen! Que Dieu ait pitié de nous! Owen!» m'écriai-je. Et je me sentis devenir glacée car je croyais vraiment que c'était le fantôme d'Owen qui revenait pour interdire ce mariage déshonorant.

Mais il se rua à l'intérieur et saisit ma vieille main ridée dans une étreinte qui était bien réelle.

«Tante Rachel, est-ce que j'arrive trop tard? demanda-t-il sauvagement. Dites-moi que j'arrive à temps.»

Je le regardai, debout devant moi, grand et beau. Il n'avait pas changé; il était seulement un peu plus basané et avait une petite cicatrice blanche sur le front. Et tout en ne parvenant pas à comprendre et en me sentant complètement déroutée, j'éprouvai un immense soulagement.

«Non, tu n'arrives pas trop tard», répondis-je.

«Dieu merci», souffla-t-il. Il m'entraîna ensuite dans le salon et ferma la porte.

«On m'a dit à la gare que Philippa devait épouser Mark Foster aujourd'hui. Je n'arrivais pas à le croire, mais je suis venu ici aussi vite que mon cheval a pu m'amener. C'est impossible, tante Rachel! Elle ne peut pas être amoureuse de Mark Foster, même si elle m'a oublié!»

«C'est pourtant vrai qu'elle va épouser Mark, dis-je, entre le rire et les larmes, mais elle ne l'aime pas. Son cœur ne bat que pour toi. C'est sa belle-mère qui a tout manigancé. Mark a une hypothèque sur la maison, et il a déclaré à Isabella Clark que s'il épousait Philippa, il brûlerait le document, et sinon, il saisirait la maison. Philippa se sacrifie pour sauver sa belle-mère en souvenir de son père. Tout est de ta faute, m'écriai-je, reprenant mes esprits. Nous te pensions mort. Pourquoi n'es-tu pas rentré au pays si tu étais vivant? Pourquoi n'as-tu pas écrit?»

«Mais j'ai écrit, après être sorti de l'hôpital, j'ai écrit plusieurs fois, et je n'ai jamais reçu de réponse, tante Rachel. Que pouvais-je penser quand Rachel refusait de répondre à mes lettres?»

«Elle n'en a jamais reçu une seule, m'exclamai-je. Elle a pleuré pour toi toutes les larmes de son corps. Quelqu'un a dû prendre ces lettres.»

Et je sus alors, comme je le sais maintenant sans même avoir l'ombre d'une preuve, qu'Isabella Clark les avait prises et gardées. Cette femme ne respectait rien.

«Eh bien, reprit Owen avec impatience, nous éclaircirons ce point plus tard. Nous avons d'autres chats à fouetter. Il faut que je voie Philippa.»

«Je vais m'occuper de ça, Owen», dis-je avec empressement. Mais à cet instant, la porte s'ouvrit pour laisser passer
Isabella et Mark. Jamais je n'oublierai l'expression d'Isabella.
J'eus presque pitié d'elle. Elle jaunit brusquement et ses yeux
devinrent hagards, comme s'ils regardaient l'effondrement de
tous ses projets et de tous ses espoirs. Pour commencer, je ne
regardai pas Mark Foster, et quand je levai finalement les
yeux sur lui, il n'y avait rien à voir. Son visage était aussi
lisse et inexpressif que toujours; à côté d'Owen, il paraissait
petit et banal. Personne ne l'aurait jamais pris pour le marié.

Owen parla le premier.

«Je veux voir Philippa», déclara-t-il, comme s'il n'était
parti que la veille.

Toute la gentillesse et la politesse d'Isabella avaient disparu pour révéler la femme véritable qu'elle était, intrigante
et sans scrupules, telle que je l'avais toujours connue.

«C'est impossible, fit-elle, l'air désespéré. Elle ne veut pas
vous voir. Vous êtes parti, l'avez abandonnée et n'avez jamais
écrit une ligne. Elle a compris que vous ne valiez pas la peine
qu'elle se tourmente et a appris à aimer un autre homme.»

«J'ai écrit, et je crois que vous êtes mieux placée que
quiconque pour le savoir, répliqua Owen, s'efforçant de
garder son calme. Quant au reste, je n'ai pas l'intention d'en
discuter avec vous. Lorsque j'entendrai Philippa elle-même
me dire qu'elle en aime un autre, je la croirai, pas avant.»

«Jamais tu ne l'entendras de sa bouche», coupai-je.

Isabella me lança un regard venimeux.

«Vous ne verrez pas Philippa avant qu'elle ne soit la
femme d'un homme meilleur que vous, s'entêta-t-elle, et je
vous ordonne de sortir de chez moi, Owen Blair.»

«Non!»

C'est Mark Foster qui venait de parler. Il n'avait pas ouvert la bouche avant, mais à présent, il s'approchait et se
plaçait devant Owen. Comme ils étaient différents!
Pourtant, il regarda calmement Owen dans les yeux, tandis
qu'Owen lui lançait un regard furieux.

«Est-ce que tu seras satisfait, Owen, lorsque Philippa aura

choisi entre nous deux?»

«Oui», répondit Owen.

Mark Foster se tourna vers moi.

«Allez la chercher», dit-il.

Jugeant que Philippa agirait comme elle-même le ferait, Isabella fit entendre un gémissement de désespoir, et Owen, aveuglé par l'amour et l'espoir, crut que sa cause était gagnée. Mais moi, je connaissais trop ma petite pour me réjouir. Mark Foster la connaissait aussi et je le haïssais pour cela.

Je montai à la chambre de ma chérie, pâle et tremblante. Lorsque j'entrai, elle se dirigea vers moi comme une fille allant à la rencontre de la mort.

«C'est... c'est l'heure?» demanda-t-elle, les mains jointes.

Je ne répondis pas, espérant que la vue soudaine d'Owen briserait sa détermination. Je tendis simplement la main vers elle et la conduisis au rez-de-chaussée. Elle s'accrochait à moi et ses mains étaient aussi froides que la neige. J'ouvris la porte du salon, reculai d'un pas et la poussai devant moi.

«Owen!» s'écria-t-elle seulement, et elle tremblait tant que je dus l'entourer de mes bras pour l'empêcher de tomber.

Owen fit un pas vers elle, l'amour enflammant son visage et ses yeux, mais Mark lui barra le chemin.

«Attends qu'elle ait fait son choix», dit-il.

Puis il se tourna vers Philippa. Si je ne pouvais voir le visage de ma petite, je voyais bien celui de Mark, et il était aussi morne que d'habitude. Derrière lui pointait celui d'Isabella, grisâtre et aux traits tirés.

«Philippa, commença Mark, Owen Blair est revenu. Il dit qu'il ne t'a jamais oubliée et qu'il t'a écrit plusieurs lettres. Je l'ai informé que tu avais promis de m'épouser, mais que je te laissais libre de choisir. Lequel de nous deux veux-tu épouser, Philippa?»

Ma petite chérie se redressa et cessa de trembler. Elle recula et je pus alors voir son visage, blanc comme la mort, mais calme et résolu.

«J'ai promis de t'épouser, Mark, et je tiendrai parole», dit-elle.

Isabella Clark retrouva ses couleurs. Mark, lui, resta impassible.

«Philippa, dit Owen, et la douleur qu'exprimait sa voix me serra le cœur encore davantage, est-ce que tu ne m'aimes plus?»

Ma chérie aurait été surhumaine si elle avait pu résister à cet appel. Elle ne répondit pas, mais le regarda pendant un moment. Tous, nous vîmes ce regard. Toute son âme s'y révélait, pleine d'amour pour Owen. Ensuite, elle se tourna et se plaça à côté de Mark.

Owen resta muet. Il pâlit affreusement et se dirigea vers la porte. Mais encore une fois, Mark Foster lui barra la route.

«Attends, dit-il. Elle a fait le choix que j'avais prévu. Mais je n'ai pas encore fait le mien. Et je refuse d'épouser une femme dont le cœur appartient à un autre homme vivant. Philippa, je croyais qu'Owen Blair était mort et que j'arriverais à conquérir ton amour, une fois que nous serions mariés. Mais je t'aime trop pour faire ton malheur. Épouse celui que tu aimes, tu es libre.»

«Et moi?» gémit Isabella.

«Oh! Vous! Je vous avais oubliée», dit Mark, l'air excédé. Il prit un document dans sa poche et le jeta dans la cheminée. «Voici l'hypothèque. C'est la seule chose qui vous préoccupe, je pense. Bonne journée.»

Il sortit. Ce n'était qu'un type ordinaire; pourtant, à cet instant, il avait tout d'un gentleman. J'avais envie de le suivre et de lui parler, mais en voyant son expression, je compris que mes stupides paroles auraient été importunes.

Philippa pleurait, la tête sur l'épaule d'Owen. Isabella Clark attendit que le document fût consumé dans la cheminée, puis elle vint me rejoindre dans le couloir, aussi mielleuse et souriante que d'habitude.

«Tout cela est vraiment très romantique, pas vrai? Je suppose que, tout compte fait, c'est mieux ainsi. Mark a eu une attitude fantastique, vous ne trouvez pas? Peu d'hommes auraient agi comme lui.»

Pour la première fois de ma vie, j'étais d'accord avec

Isabella. Mais j'avais besoin de pleurer sur tout cela. Et je le fis. J'étais contente pour ma petite chérie et pour Owen, mais Mark Foster avait payé le prix de leur bonheur et je savais qu'il s'était ainsi privé de son propre bonheur pour la vie.

15

L'histoire de Tannis

À Avonlea, peu de gens comprenaient pourquoi Elinor Blair ne s'était jamais mariée. Elle avait autrefois été l'une des plus jolies filles de notre partie de l'île et, à présent âgée de cinquante ans, elle était encore très séduisante. Les gens de notre génération se rappelaient qu'elle avait eu dans sa jeunesse d'innombrables prétendants mais qu'après son retour du Nord-Ouest canadien où elle était allée visiter son frère Tom, vingt-cinq ans auparavant, elle avait paru se retirer en elle-même et, tout en restant cordiale, garder tous les mâles à une distance respectable. Jeune fille enjouée au moment de son départ dans l'Ouest, elle était revenue calme et grave. Une ombre, que le temps n'avait pas réussi à effacer, obscurcissait son regard.

Elinor n'avait jamais beaucoup parlé de ce voyage, sauf pour décrire le paysage et la vie qui, à cette époque, était loin d'être facile. Même à moi, sa voisine depuis toujours et qu'elle considérait davantage comme une sœur que comme une amie, elle ne raconta jamais rien d'autre que des banalités. Mais lorsque, une dizaine d'années plus tard, Tom Blair fit un voyage éclair au village, il confia à une ou deux personnes l'histoire de Jerome Carey et nous comprîmes alors la raison des yeux tristes d'Elinor et de l'indifférence avec laquelle elle accueillait les attentions masculines. Je me rappelle presque les paroles exactes de Tom et les inflexions de sa voix tout comme je me souviens que l'existence primitive des Plaines me semblait à des milliers de milles du paysage charmant où nous nous trouvions, en ce beau jour d'été.

Les Plaines, c'était un petit comptoir commercial situé dans une région désolée au bord d'une rivière, à quinze milles de Prince Albert, avec une population clairsemée composée de métis et de trois hommes blancs. Lorsque Jerome Carey fut désigné pour aller y prendre charge du bureau de télégraphe, il maudit son sort dans ce langage cru qu'on se permet d'utiliser dans le lointain Nord-Ouest.

Non pas que Carey fût un homme vulgaire, comme beaucoup de ceux qui partent pour l'Ouest. C'était un parfait gentleman anglais, à la vie et au langage propres. Mais les Plaines, vraiment!

À l'écart du petit groupe de misérables cabanes en bois rond qui formait le village, on voyait une bande de tentes où les Indiens sortis de la réserve campaient avec leurs chiens, leurs squaws et leurs papooses. Si les Indiens peuvent être intéressants à certains points de vue, on ne peut cependant dire qu'ils offrent des distractions mondaines très fantastiques. Après trois semaines aux Plaines, Carey s'ennuyait plus qu'il n'avait cru cela possible, même dans le Grand Nord. S'il n'avait pas enseigné le code du télégraphe à Paul Dumont, Carey croyait qu'il aurait été mené au suicide par réflexe d'autodéfense.

L'importance télégraphique des Plaines résidait dans le fait qu'il s'agissait du point de départ de trois autres lignes télégraphiques dirigées vers des postes reculés du Grand Nord. Peu de messages étaient envoyés de là, mais ceux qu'on recevait en valaient généralement la peine. Il se passait des jours et parfois même des semaines sans que le télégraphe des Plaines ne clique une seule fois. Carey s'interdisait de converser par le biais des fils avec l'employé de Prince Albert parce qu'officiellement, il était en mauvais termes avec lui. Il l'accusait d'être responsable de son transfert aux Plaines.

Carey dormait dans un grenier au-dessus du bureau et prenait ses repas chez Joe Esquint, de l'autre côté de la rue. La femme de Joe Esquint était une aussi bonne cuisinière que les métis peuvent l'être et Carey devint bientôt son favori. Carey avait l'habitude d'être chouchouté par les femmes. Il avait la «manière» avec elles et c'était là un don inné. En outre, il avait fière allure avec ses traits bien dessinés, ses yeux bleu sombre, bien enfoncés, ses boucles blondes et ses six pieds de muscle. Pour Mme Joe Esquint, sa moustache était une merveille du genre.

Heureusement, Mme Joe était si vieille, obèse et laide que les métis qui rôdaient et les Indiens qui campaient aux alentours avaient beau commérer tant qu'ils pouvaient, ils ne parvenaient à trouver rien de louche dans les relations existant entre elle et Carey. Mais la chose était différente en ce qui concernait Tannis Dumont.

Au début de juillet, Tannis était rentrée de l'académie de Prince Albert. Il y avait déjà un mois que Carey vivait aux Plaines et il avait épuisé toutes les rares ressources que lui offrait son poste. Paul Dumont était devenu un tel expert que ses erreurs n'amusaient plus Carey, qui se désespérait. Il songeait sérieusement à tout abandonner et à s'engager sur un ranch en Alberta où il aurait à tout le moins la possibilité de prendre des chevaux au lasso. Lorsqu'il vit Tannis Dumont, il décida de prolonger son séjour.

Tannis était la fille du vieil Auguste Dumont qui tenait le seul petit magasin des Plaines, habitait la seule maison à charpente de bois dont s'enorgueillissait le village et avait la réputation de valoir une somme d'argent qui, aux yeux des métis, constituait une fortune colossale. Si le vieil Auguste était noir, laid et réputé pour son mauvais caractère, Tannis, elle, était une beauté.

L'arrière-grand-mère de Tannis, une Indienne de race Cree, avait épousé un trappeur français. Un fils leur était né qui était devenu le père d'Auguste Dumont. Ce dernier s'était marié à une femme dont la mère était une métisse à demi française et dont le père était un Écossais pure laine.

Ces mélanges saugrenus avaient trouvé leur justification en la personne de Tannis, dans les veines de qui semblait couler le sang de toute la noblesse de l'empire.

Tout compte fait, c'était surtout le sang de la race des prairies qui coulait dans ces mêmes veines. Un œil exercé l'aurait détecté dans la svelte majesté de sa stature, les courbes gracieuses et pourtant voluptueuses de son corps souple, la petitesse et la délicatesse de ses extrémités, les reflets violacés de sa lourde et raide chevelure de jais et, par-dessus tout, dans les yeux noirs, allongés et langoureux, au fond desquels couvait un feu. La personnalité de Tannis devait également quelque chose à la France: son pas léger remplaçait la démarche traînante des métis, sa lèvre supérieure vermeille formait un arc plus frémissant, sa voix était plus joyeuse et sa langue, plus déliée. Quant à son grand-père écossais aux cheveux roux, il lui avait légué un teint plus pâle et l'éclat acajou de ses cheveux, chose rare chez les métis.

Le vieil Auguste était vraiment très fier de Tannis. Il l'envoya étudier quatre années à Prince Albert, déterminé à ce que sa fille ait ce qu'il y avait de mieux. Après des études secondaires et une grande participation à la vie sociale de la ville — les politiciens avisés sachant qu'il fallait compter avec le vieil Auguste qui contrôlait le vote de deux ou trois cents métis — Tannis était rentrée aux Plaines avec un très mince et très trompeur vernis de culture et de civilisation camouflant les passions et les concepts primitifs de sa nature.

Carey ne vit que la beauté et le vernis. Il commit l'erreur de se fier aux apparences et de prendre Tannis pour une jeune femme instruite et moderne. Il crut que, comme c'est le cas pour les femmes blanches, le flirt ne serait pour elle qu'une façon agréable de passer une heure ou même une saison. Il se trompait grossièrement. Si Tannis savait assez bien jouer du piano, se débrouillait en grammaire et en latin, et s'empêtrait dans les faux-fuyants mondains, le sens du marivaudage lui échappait totalement. On ne pourra jamais amener un Indien à saisir la signification du platonisme.

Carey commença à trouver l'atmosphère des Plaines

respirable après le retour de Tannis. Il prit bientôt l'habitude
d'aller passer la soirée chez les Dumont, où il bavardait ou
jouait des duos de piano et de violon avec Tannis dans le
salon. Pour un endroit comme les Plaines, ce salon était une
pièce étonnamment bien tenue, mais ce n'était pas en vain
que Tannis avait, pendant quatre années, observé les salons
de Prince Albert. Quand la conversation et la musique
perdaient leur charme, ils allaient ensemble galoper interminablement dans la prairie. Tannis montait à la perfection et
conduisait son cheval rétif avec une grâce et une habileté qui
ravissaient Carey. À cheval, elle était magnifique.

Parfois, lorsqu'ils étaient fatigués des prairies, ils emprun-
taient la pirogue de Nitchie Joe et allaient pagayer sur la
rivière pour accoster à l'ancienne piste débouchant dans la
forêt qui entourait la vallée Saskatchewan et conduisait aux
comptoirs du Nord, aux frontières de la civilisation. Là, ils se
promenaient sous les énormes pins que les siècles avaient
couverts de mousse et Carey parlait à Tannis de l'Angleterre
et lui déclamait des poèmes. Cela plaisait à Tannis. Elle avait
étudié la poésie à l'école et la comprenait assez bien. Une fois,
pourtant, elle confia à Carey que, pour elle, c'était comme
tourner interminablement autour du pot pour dire ce qu'on
aurait pu exprimer en une douzaine de mots simples. Carey
avait ri. Il aimait susciter de telles observations: prononcées
par d'aussi jolies lèvres rouges, elles lui semblaient spirituelles.

Si vous aviez dit à Carey qu'il jouait avec le feu, il vous
aurait ri au nez. Pour commencer, il n'était pas le moins du
monde amoureux de Tannis. Les sentiments qu'il éprouvait à
son égard se bornaient à de l'admiration et de l'amitié. De
plus, jamais il n'avait soupçonné que Tannis pût être éprise
de lui. Jamais il n'avait rien tenté pour la séduire. Et il était
surtout convaincu que Tannis était, en réalité tout comme
en apparence, semblable aux autres femmes qu'il avait con-
nues au cours de sa vie. Il ne connaissait pas suffisamment les
particularités de sa race pour comprendre.

Mais si Carey pensait n'avoir qu'une simple relation
amicale avec Tannis, il était bien le seul à le penser, aux

Plaines. Tous les métis qui vivaient là croyaient qu'il convoitait la main de Tannis. Pour eux, il n'y avait rien là d'étonnant. Ils ignoraient que le cousin au deuxième degré de Carey était un baron, et l'eussent-ils su qu'ils n'auraient pas compris quelle différence cela pouvait faire. Pour eux, l'héritière du vieux et riche Auguste, qui avait étudié quatre ans à Prince Albert, était une proie pour le moins enviable.

Quant au vieil Auguste, il haussait les épaules, plutôt satisfait. Un Anglais, même s'il n'était qu'un opérateur de télégraphe, était un parti rêvé pour une métisse. Le jeune Paul Dumont vénérait tout simplement Carey. La mère à demi écossaise aurait peut-être compris la situation, mais elle était morte. Aux Plaines, deux personnes seulement désapprouvaient ce mariage qu'elles considéraient comme une chose certaine. L'une d'entre elles était le petit Père Gabriel. Il aimait Tannis et il aimait Carey, ce qui ne l'empêchait pas de hocher la tête d'un air perplexe lorsqu'il entendait les ragots dans les cabanes et les tentes. Si les religions pouvaient se mêler, il en allait autrement des races. Tannis était indubitablement une jeune fille belle et bonne, mais elle n'était pas la femme qui convenait à ce Britannique blond et de race pure. Le Père Gabriel souhaitait ardemment que Jerome Carey fût bientôt transféré ailleurs. Il se rendit même en personne à Prince Albert pour essayer de tirer des ficelles, mais sans résultat. Il n'était pas de la bonne allégeance politique.

L'autre mécontent était Lazarre Mérimée, un métis à demi français imbécile et paresseux qui était, à sa manière, amoureux de Tannis. Il ne pourrait jamais la conquérir, et le savait, car le vieil Auguste et le jeune Paul l'auraient aussitôt chassé à coups de carabine s'il s'était aventuré près de la maison dans le but de conter fleurette à Tannis. Cela ne l'empêchait pas de haïr Carey et d'attendre son heure pour lui jouer un sale tour. Il n'existe pas d'ennemi plus terrible au monde qu'un métis. Si un Indien véritable est dangereux, son descendant au sang dilué est dix fois pire.

Quant à Tannis, elle aimait Carey de tout son cœur et

rien d'autre ne comptait pour elle.

Si Elinor Blair n'était jamais allée à Prince Albert, le dénouement aurait peut-être été tout autre, qui sait? Malgré son sang si pur, Carey aurait peut-être même fini par apprendre à aimer Tannis et l'épouser, ce qui aurait causé sa perte, socialement parlant. Mais Elinor alla à Prince Albert et, pour Tannis des Plaines, ce fut la fin.

Carey fit la connaissance d'Elinor un soir de septembre. Il s'était rendu en ville pour assister à un bal et avait confié la responsabilité du télégraphe à Paul Dumont. Elinor venait d'arriver à Prince Albert, en visite chez Tom qui avait quitté Avonlea cinq ans auparavant lorsqu'il s'était marié et était parti pour l'Ouest. Elle s'était depuis ce temps toujours ennuyée de lui. Comme je l'ai déjà mentionné, elle était très belle à cette époque, et Carey en tomba amoureux dès qu'il la vit.

Les trois mois qui suivirent, il se rendit en ville neuf fois et n'alla chez les Dumont qu'une seule fois. C'en était fini des promenades et des randonnées à cheval avec Tannis. Il ne s'agissait pas de négligence intentionnelle de sa part. Il l'avait tout simplement oubliée. Si les métis crurent à une querelle d'amoureux, Tannis, elle, avait compris. Il y avait une autre femme en ville.

Il est impossible de trouver les mots qui donneraient une idée juste des émotions qui la submergèrent à ce moment-là. Un soir, elle suivit Carey à Prince Albert sur son cheval des plaines. Tout en restant hors de portée, elle ne le perdait pas de vue. Fou de jalousie, Lazarre avait suivi Tannis, l'épiant jusqu'à son retour aux Plaines. Par la suite, il ne cessa d'espionner Carey et Tannis et, des mois plus tard, il put rapporter à Tom tout ce que ses pratiques sournoises lui avaient appris.

Tannis avait suivi la piste de Carey jusqu'à la résidence des Blair, sur les promontoires surplombant la ville, et l'avait vu attacher son cheval au portail et entrer. Elle avait à son tour attaché sa monture à un peuplier, un peu plus bas, puis s'était faufilée sous les saules jusqu'à la façade latérale de la maison, près des fenêtres. La jeune métisse s'était accroupie dans l'ombre pour contempler sa rivale. Ayant vu le joli visage au teint clair, la vaporeuse couronne de cheveux blonds et les yeux bleus et rieurs de la femme dont Jerome Carey était amoureux, elle avait compris qu'il ne lui restait plus aucun espoir. Elle, Tannis des Plaines, ne pourrait jamais rivaliser avec cette femme et c'était sans doute préférable de le savoir.

Après quelques instants, elle s'était éloignée sans bruit, avait détaché son cheval et l'avait cravaché sans merci dans les rues de la ville et dans le sentier poudreux qui longeait la rivière. Un homme la regarda lorsqu'elle passa en trombe devant une boutique illuminée de la rue Water.

«C'était Tannis des Plaines, dit-il à son compagnon. Elle fréquentait l'école en ville, l'hiver dernier. Une beauté, mais un peu diabolique, comme toutes ces métisses. Mais qu'est-ce qu'elle a à galoper comme ça?»

Deux semaines passèrent. Un jour, Carey se rendit à la rivière pour se promener seul sur la piste du nord et rêver d'Elinor sans se faire déranger. À son retour, il trouva Tannis debout sur le débarcadère, sous un pin, dans une fine pluie de lumière. C'était lui qu'elle attendait.

«M. Carey, pourquoi est-ce que vous ne venez plus jamais me voir?» demanda-t-elle de but en blanc.

Carey rougit comme une jeune fille. L'expression de sa voix et de son visage le rendaient très mal à l'aise. Il songea, pris de remords, qu'il avait dû paraître très négligent et bredouilla qu'il avait été très occupé.

«Pas très occupé, riposta Tannis avec sa terrible franchise. Ce n'est pas ça. C'est parce que vous allez à Prince Albert voir une femme blanche.»

Malgré son embarras, Carey remarqua que c'était la première fois qu'il entendait Tannis utiliser l'expression «femme blanche» ou toute autre indiquant qu'elle sentait une différence entre elle et la race dominante. En même temps, il comprit qu'il ne fallait pas traiter cette fille à la légère et qu'elle finirait, tôt ou tard, par lui soutirer la vérité.

Mais il se sentit indescriptiblement idiot.

«Je suppose que oui», répondit-il maladroitement.

«Et moi?» demanda Tannis.

C'était, quand on y songe, une question plutôt gênante, surtout pour Carey qui avait cru que Tannis connaissait les règles du jeu et qu'elle s'était, tout comme lui, plu à le jouer.

«Je ne vous comprends pas, Tannis», répondit-il vivement.

«Vous m'avez rendue amoureuse de vous», continua-t-elle.

Sur papier, les mots peuvent avoir l'air banal. Ils ne le parurent pas à Tom, lorsque Lazarre les lui répéta, et encore moins à Carey, lancés ainsi par une femme frémissant de toutes les passions de ses origines sauvages. Tannis avait justifié sa critique de la poésie. Elle avait prononcé une demi-douzaine de mots pleins du désespoir, de la souffrance et de la prière jamais exprimés par toute la poésie du monde.

En les entendant, Carey eut l'impression d'être le dernier des derniers. D'un seul coup, il comprit combien il serait impossible de faire comprendre la situation à Tannis et qu'il ne se rendrait que plus ridicule encore s'il l'essayait.

«Je suis vraiment désolé», bafouilla-t-il comme un écolier puni.

«Je m'en fiche, interrompit Tannis avec violence. Quelle importance ai-je, moi, une fille métisse? Les métis ne sont là que pour amuser les hommes blancs. C'est la vérité, non? Après, quand ils sont fatigués de nous, ils nous rejettent et retournent à celles de leur race. Oh! C'est parfait! Mais je n'oublierai pas. Mon père et mon frère non plus n'oublieront pas. Vous allez avoir une bonne raison d'être désolé!»

Elle se détourna et se dirigea à grandes enjambées vers son canot. Il attendit qu'elle eut traversé la rivière puis, le cœur gros, il rentra chez lui. Quel gâchis! Pauvre Tannis! Comme elle lui avait paru belle dans sa fureur, comme elle avait eu l'air Indienne! Les caractéristiques raciales ressortent toujours quand on est en proie à une émotion, ainsi que Tom le fit plus tard remarquer.

La menace de Tannis ne le troubla pas. Si le jeune Paul

et le vieil Auguste essayaient de lui créer des ennuis, il était de taille à leur faire face. C'était la pensée d'avoir fait souffrir Tannis qui le préoccupait. Il ne s'était certes pas conduit comme un goujat. Il avait été étourdi et, dans certains cas, c'est presque aussi mal.

Les Dumont le laissèrent toutefois en paix. Tout compte fait, les quatre années que Tannis avait passées à Prince Albert n'avaient pas été inutiles. Elle savait que les Blanches n'impliquent pas leurs parents mâles dans une vendetta lorsqu'un homme cesse de leur rendre visite, et elle n'avait rien d'autre à lui reprocher. Après avoir réfléchi, elle résolut de tenir sa langue. Elle éclata même de rire lorsque le vieil Auguste lui demanda ce qui allait de travers entre elle et son cavalier, et lui répondit qu'il ne lui plaisait plus. Le vieil Auguste haussa les épaules d'un air résigné. C'était peut-être mieux comme ça: ces gendres britanniques se donnent parfois des airs de supériorité.

Carey continua donc à aller souvent en ville, pendant que Tannis attendait son heure en faisant de futiles projets de vengeance et que Lazarre Mérimée se renfrognait et se saoulait. Aux Plaines, la vie suivit ainsi son cours habituel jusqu'à la dernière semaine d'octobre; c'est alors qu'une tempête de vent et de pluie balaya tout le Nord.

C'était un mauvais soir. Les fils reliant Prince Albert et les Plaines étaient tombés et toutes les communications avec le monde extérieur étaient coupées. Chez Joe Esquint, les métis fêtaient l'anniversaire de Joe. Paul Dumont s'y était rendu et Carey était resté seul dans le bureau où il fumait paresseusement en rêvant d'Elinor.

Tout à coup, à travers le crépitement de la pluie et les sifflements du vent, il entendit des hurlements dans la rue. Il courut à la porte. Mme Joe Esquint, hors d'haleine, lui saisit le bras.

«M'sieur Carey! Venez vite! Lazarre, il va tuer Paul! Ils sont en train de se battre!»

Étouffant un juron, Carey se précipita dans la rue. Il avait craint qu'il n'arrive quelque chose du genre et avait conseillé à Paul de ne pas aller à la fête, car ces beuveries se terminaient presque toujours en mêlée générale. Il entra en trombe dans la cuisine de Joe Esquint. Un cercle de spectateurs muets étaient rangés autour de la pièce; au centre, s'empoignaient Paul et Lazarre. Carey fut soulagé en découvrant qu'ils se battaient à coups de poing. Se ruant vers les combattants, il tira Paul en arrière pendant que Mme Joe Esquint — son mari étant effondré dans un coin, ivre mort — entourait Lazarre de ses gros bras et le retenait.

«Arrêtez», ordonna sévèrement Carey.

«Laisse-moi faire, écuma Paul. Il a insulté ma sœur. Il a dit que tu... laisse-moi y retourner!»

Il ne pouvait se libérer de l'étreinte d'acier de Carey. Bondissant comme un loup, Lazarre envoya Mme Esquint rouler dans la poussière et se précipita vers Paul. Carey lança des coups à la volée et Lazarre recula en vacillant contre la table. Il monta dessus, on entendit un grand bruit et la lumière s'éteignit!

Les hurlements de Mme Esquint étaient assez stridents pour faire tomber le toit. Dans la confusion qui s'ensuivit, deux coups de pistolets résonnèrent. On entendit un cri, un grognement, une chute puis un piétinement à la porte. Lorsque Marie, la belle-sœur de Mme Joe Esquint, se rua à l'intérieur avec une lampe, Mme Joe hurlait encore. Paul Dumont était appuyé, chancelant, contre le mur, un bras pendant, et Carey était étendu face contre terre, dans une mare de sang.

Marie Esquint était une femme de sang-froid. Elle ordonna à Mme Joe de se taire, puis retourna Carey. Il était conscient, mais paraissait étourdi et incapable de bouger. Marie posa un manteau sous sa tête, dit à Paul de s'allonger sur le banc et à Mme Joe de préparer un lit, puis elle partit à la recherche du docteur. Il y avait par hasard un médecin aux Plaines, ce soir-là. Il était venu de Prince Albert pour soigner des Indiens malades à la réserve. La tempête l'avait retenu chez le vieil Auguste.

Marie fut bientôt de retour avec lui, le vieil Auguste et

Tannis. Carey fut transporté sur le lit de Mme Esquint. Le médecin l'examina rapidement tandis qu'assise sur le sol, Mme Joe hurlait de toute la force de ses poumons. Le médecin secoua la tête.

«Touché dans le dos», commenta-t-il brièvement.

«Il me reste combien de temps?» demanda Carey, qui comprenait.

«Peut-être jusqu'au matin», répondit le docteur. Mme Joe poussa alors un cri encore plus strident et Tannis s'approcha du lit. Sachant qu'il ne pouvait rien pour Carey, le médecin se hâta d'aller soigner Paul dans la cuisine; ce dernier avait une mauvaise blessure au bras. Marie sortit avec lui.

Carey regarda stupidement Tannis.

«Envoyez-la chercher», demanda-t-il.

Tannis esquissa un sourire cruel.

«C'est impossible. Les fils sont coupés et aucun homme n'acceptera d'aller en ville, cette nuit», répondit-elle.

«Mon Dieu, il faut que je la voie avant de mourir, protesta Carey d'une voix brisée. Où est le père Gabrie? Il ira, lui.»

«Il est allé en ville hier soir et n'est pas encore rentré.»

Carey gémit et ferma les yeux. Si le père Gabriel n'était pas là, c'était vrai que personne n'irait chercher Elinor. Ni le vieil Auguste ni le médecin ne pouvaient quitter Paul, et il savait qu'aucun des métis présents aux Plaines ne sortirait par une telle nuit même s'ils n'étaient pas tous mortellement terrifiés à l'idée d'avoir des démêlés avec la justice, qui se manifesterait sans doute à la suite de cette histoire. Il devait donc mourir sans avoir revu Elinor.

Tannis regarda d'un air impénétrable le visage livide sur les oreillers sales de Mme Joe Esquint. Ses traits immobiles ne reflétaient rien du combat qui se livrait à l'intérieur de son être. Après un court instant, elle se tourna et sortit de la pièce, fermant doucement la porte sur l'homme blessé et Mme Joe, dont les hurlements étaient devenus des geignements. Dans la pièce voisine, Paul criait de douleur pendant que le docteur soignait son bras. Tannis n'alla cependant pas vers lui, mais se glissa dehors dans la tempête jusqu'à l'étable du vieil Auguste. Cinq minutes plus tard, fouettée par le vent, elle galopait sur la piste noire le long de la rivière. Elle allait chercher Elinor Blair pour l'amener au lit de mort de l'homme qu'elle aimait.

Je soutiens qu'aucune autre femme n'a jamais accompli d'action plus généreuse. Son amour vainquit la jalousie et la haine qui emplissaient son cœur. En plus de tenir sa vengeance, elle aurait pu avoir le privilège d'être la dernière à voir Carey. Elle s'en priva pourtant afin que celui qu'elle aimait pût pousser moins amèrement son dernier soupir. Chez une femme blanche, un tel geste aurait déjà été digne d'éloges. Tannis des Plaines, avec ses origines et ses traditions, faisait preuve là d'un renoncement des plus nobles.

Tannis avait quitté les Plaines à huit heures; il était dix heures lorsqu'elle tira sur la bride de son cheval devant la maison sur la butte. Elinor était en train de régaler Tom et sa femme des derniers potins d'Avonlea lorsque la bonne apparut à la porte.

«'Scusez-moi, m'dame, mais y a une métisse sur la véranda qui demande à voir Mlle Blair.»

Se demandant de qui il s'agissait, Elinor sortit, suivie par son frère. Cravache à la main, Tannis se tenait dans l'embrasure de la porte, la nuit de tempête derrière elle, la chaude lumière rubis de la lampe du couloir inondant son visage pâle et la longue tignasse mouillée qui l'encadrait. Elle avait l'air passablement sauvage.

«Jerome Carey a reçu une balle dans une bataille chez Joe Esquint ce soir, annonça-t-elle. Il est en train de mourir, il veut vous voir, j'suis venue vous chercher.»

Elinor fit entendre un petit cri et s'appuya contre l'épaule de Tom. Tom déclara qu'il se rappelait avoir poussé des exclamations horrifiées. Il n'avait jamais approuvé les attentions dont Carey gratifiait sa sœur, mais ces nouvelles auraient suffi à ébranler n'importe qui. Pour lui, il était cependant hors de question qu'Elinor sorte par une nuit pareille pour aller dans cet endroit sinistre, et il ne mâcha pas ses mots pour le dire à Tannis.

«J'suis venue dans la tempête, riposta Tannis avec mépris. Elle est pas capable d'en faire autant pour lui?»

Le bon vieux sang de l'Île ne fit qu'un tour dans les veines d'Elinor.

«J'en suis capable, répondit-elle d'un ton résolu. Non, Tom, ne fais pas d'objections. Je dois y aller. Va chercher mon cheval, et le tien.»

Dix minutes plus tard, trois cavaliers dévalèrent la colline et s'engagèrent dans le chemin de la rivière. Ils avaient heureusement le vent dans le dos et le pire de la tempête était passé. Mais cela n'empêcha pas leur chevauchée d'être sauvage. Tom fulminait tout bas. Il n'aimait pas du tout cette histoire — Carey assassiné dans quelque baraque de métis, la belle fille taciturne dépêchée par lui, cette randonnée cauchemardesque dans le vent et la pluie. C'était trop mélodramatique, même pour le Grand Nord, où le comportement des gens avait conservé un aspect primitif. Il souhaitait ardemment qu'Elinor n'eût jamais quitté Avonlea.

Il était plus de minuit lorsque le trio arriva aux Plaines. Tannis avait l'air d'être la seule à pouvoir penser de façon cohérente. C'est elle qui dit à Tom d'amener les chevaux, elle encore qui conduisit Elinor à la chambre où Carey agonisait. Le médecin était assis à son chevet et, recroquevillée dans un coin, Mme Joe reniflait. Tannis la prit par l'épaule et la fit sortir, sans trop de délicatesse, de la chambre. Le docteur comprit et se leva aussitôt. En fermant la porte, Tannis vit Elinor tomber à genoux près du lit et la main tremblante de Carey approcher de sa tête.

Tannis s'assit sur le sol de l'autre côté de la porte et s'enveloppa dans un châle que Marie Esquint avait laissé tomber. Dans cette attitude, elle ressemblait tout à fait à une squaw et tous ceux qui passèrent devant elle, même le vieil Auguste, le pensèrent et la laissèrent tranquille. Elle resta là jusqu'à ce que l'aube blanche se lève sur les prairies et que meure Jerome Carey. Elle sut que c'était arrivé en entendant le cri d'Elinor.

Tannis bondit sur ses pieds et se rua à l'intérieur. Trop tard. Même un regard d'adieu lui était refusé.

Elle prit entre les siennes la main de Carey et se tourna, avec une froide dignité, vers Elinor qui sanglotait.

«Partez, maintenant, ordonna-t-elle. Vous l'avez eu vivant jusqu'à la fin. À présent, il m'appartient.»

«Il faudrait faire des arrangements», bafouilla Elinor.

«Mon père et mon frère feront les arrangements, comme vous dites. Il n'avait aucun parent proche au monde, et aucune famille au Canada, c'est lui qui me l'a dit. Vous pouvez envoyer un pasteur protestant de la ville, si vous voulez. Mais il sera enterré ici, aux Plaines, et sa tombe sera à moi, rien qu'à moi! Allez-vous-en.»

Affligée mais pourtant vaincue par cette volonté, cette émotion plus forte que la sienne, Elinor sortit à contrecœur, laissant Tannis des Plaines seule avec le mort.

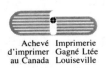

Achevé   Imprimerie
d'imprimer Gagné Ltée
au Canada Louiseville